P9-BBT-205

TARTINES

TARTINES

DE RAQUEL PELZEL

PHOTOGRAPHIES
D'EVAN SUNG

ÇA, C'EST UNE TARTINE !

Bienvenue dans le monde moderne de la tartine, où le pain est grillé à la flamme, au grille-pain ou au four, puis agrémenté d'une garniture de saison. Voyez la tartine comme une version sophistiquée du sandwich, comme la *bruschetta* : idéale au petit déjeuner comme au dessert, pour un repas entre amis ou sur le pouce.

La tartine peut être roborative si elle est garnie de protéines prenant la forme de gigot cuit au barbecue ou de poulet frit. Toutefois, elle s'accommode également très bien d'un accompagnement plus végétal, tel qu'une salade de tomates et d'avocat ou une sauce au poivron. Avec les tartines, les possibilités sont infinies ! Dès que l'on commence à s'y intéresser de près, on ne tarde pas à s'apercevoir qu'elles acceptent toutes les garnitures.

La saga des tartines a-t-elle débuté en Australie par des tartines simplement garnies de tranches d'avocat ? Ou en Angleterre, avec la célèbre garniture aux haricots blancs ? À moins que ce ne soit la tartine de kaya à la confiture de coco, typique de la Malaisie, qui ait ouvert le bal ? Après tout, peu importe. Les cuisiniers du dimanche comme les grands chefs voient dans la tartine et son accompagnement une façon inédite et raffinée de proposer un repas rapide et sans prétention. Dans cet ouvrage, vous trouverez 50 propositions de tartines et de garnitures : beurre de noix de macadamia maison infusé à la cardamome ou tomates rôties et crème de feta, en passant par les restes de dinde de Noël... Ces quelques suggestions devraient déjà ébranler tous vos a priori sur ce que peut être une tartine !

Vous découvrirez aussi dans les pages suivantes différentes façons de faire griller le pain. En plus de mes réflexions précédant chaque recette, vous trouverez à la fin de chaque chapitre deux recettes proposées par des chefs ou des chroniqueurs culinaires estimés et respectés.

Alors, portons un toast aux tartines ! Que les vôtres soient croustillantes et délicieuses au point de vous laisser un souvenir impérissable !

LE B.A.-BA DE LA TARTINE

Certaines tartines exigent du beurre, tandis que d'autres n'acceptent que l'huile d'olive. Certains pains sont meilleurs toastés au gril ou au barbecue, tandis que d'autres révèlent leur saveur quand ils sont passés sous le gril du four ou dorés à la poêle. Pour la plupart des recettes, vous êtes libre de choisir le procédé. Mieux vaut beurrer le pain ou l'arroser d'un filet d'huile avant de le griller ; néanmoins, si vous le passez au grille-pain, il vous faudra le faire après. Dans quelques recettes, je suggère une méthode, mais c'est vous qui décidez... alors, lancez-vous !

AU FOUR

Lorsque je réalise une tartine, neuf fois sur dix, c'est cette méthode que je choisis, car elle donne au pain une légère saveur de brûlé provenant du gril lui-même, surtout si vous utilisez un four à gaz. Un barbecue fait également l'affaire, mais dans les grandes villes de l'hémisphère Nord, ce n'est pas le moyen de cuisson le plus pratique, du moins pendant quatre à cinq mois de l'année !

• Arroser une face de chaque tranche de pain d'huile (l'huile d'olive vierge extra et celle de pépins de raisin sont mes préférées) ou les tartiner de beurre ramolli, puis assaisonner de quelques pincées de sel casher.
• Positionner la grille du four dans le tiers supérieur du four, à 7,5-10 cm du gril, et préchauffer le four à feu vif.
• Poser les tranches de pain sur une plaque de cuisson tapissée d'une feuille d'aluminium et enfourner au moins 2 à 3 minutes, jusqu'à ce qu'elles soient uniformément dorées – surveiller régulièrement la cuisson, car la température des fours varie ; quand vous avez placé un plat sous le gril, gardez toujours un œil dessus !
• Retourner les tranches de pain et faire dorer l'autre côté 1 à 2 minutes supplémentaires.

AU GRILLE-PAIN

• Faire griller les tranches de pain au grille-pain, puis beurrer ou arroser d'un peu d'huile. Contrairement aux autres méthodes, celle du grille-pain requiert des tranches de pain plus fines ou même du pain prétranché – sauf si vous disposez d'un appareil à fentes larges permettant d'y glisser d'épaisses tranches de pain.

AU MINI-FOUR

• Suivre les conseils donnés pour griller le pain au four traditionnel et les compléter en lisant le mode d'emploi de votre appareil.

AU BARBECUE

• Chauffer un barbecue au gaz ou au charbon à feu moyen-vif.
• Arroser d'huile une face de chaque tranche de pain ou la tartiner de beurre et saler.
• Faire griller le pain jusqu'à ce qu'il soit croustillant et zébré des deux côtés, soit 1 à 2 minutes par face.

À LA POÊLE

• Chauffer 2 cuillerées à soupe d'huile (ou de beurre) dans une poêle à feu moyen – ou 1 cuillerée à soupe dans une sauteuse si vous dorez les tartines en plusieurs fois. Mettre les tranches de pain et poser une grande assiette ou un moule à gâteau sur le pain – l'ustensile choisi ne doit pas recouvrir la poêle mais le pain. Si l'assiette n'est pas assez lourde, la lester avec quelques conserves. Cuire le pain 2 à 3 minutes. Le fait de poser un poids dessus permet à toute la surface d'être en contact avec la poêle chaude et la matière grasse ; ainsi, la tartine est uniformément dorée.
• Ôter l'assiette et retourner le pain. Saler la face poêlée, puis répéter l'opération pour le second côté en prolongeant la cuisson 1 minute 30 à 2 minutes.

DANS L'HUILE

• Chauffer 5 cm d'huile dans une poêle à feu moyen-vif ; si vous utilisez une poêle plus grande, il vous faudra davantage d'huile. Y jeter un petit morceau de pain – si des bulles se forment immédiatement autour, l'huile est assez chaude.
• Déposer 1 ou 2 tranches de pain dans la poêle et les faire frire, en les retournant de temps à autre, jusqu'à ce que les deux côtés soient bien dorés et croustillants – soit 4 à 5 minutes en tout.
• Transférer le pain sur une grille posée sur une plaque de cuisson recouverte de papier absorbant. Saler les tranches quand elles sont encore chaudes. Laisser l'huile refroidir, puis la filtrer à travers une mousseline pour une utilisation future.

LE B.A.-BA DU PAIN

En mettant au point les recettes de cet ouvrage, j'ai réalisé 400 à 500 tartines. Tout au long de ces essais et de ces dégustations, j'en ai appris beaucoup sur les types de pain à utiliser et l'épaisseur des tranches à privilégier. Je me suis aperçue que la plupart des tartines sont meilleures avec un pain de campagne tout simple. Cela étant, une multitude de pains méritent le détour et certaines recettes ne s'accordent qu'avec une seule variété, comme la Tartine à l'américaine (p. 53) et son pain de seigle ou encore la Tartine aux poires rôties (p. 28) et sa tranche de pain aux noix.

ACHETER LE PAIN

Plus le pain est de qualité, meilleure est la tartine ; achetez-le dans une bonne boulangerie où le pain, pétri et cuit avec soin, est vendu frais. Quand vous choisissez votre pain, optez pour une mie exempte de trous : rien n'est plus néfaste à une tartine qu'une garniture coulant dans les trous de la mie pour se retrouver sur l'assiette !

TRANCHER LE PAIN

Grâce à ses dents, le couteau à pain est le moyen le plus simple pour couper une tranche sans aplatir ou déchirer le reste du pain. Pour trancher un pain datant de plusieurs jours, posez-le sur le côté pour éviteé de l'écraser. L'épaisseur idéale d'une tartine varie d'1,25 cm à 2 cm. Pour ma part, j'ai tendance à privilégier les tranches épaisses, car je préfère un pain moelleux et croustillant qui, en outre, sera plus rassasiant. Si vous optez pour des tranches plus fines, c'est très bien aussi ! Suivez vos envies, la tartine s'adapte à toutes les situations...

CONSERVER LE PAIN

Pour conserver un pain plusieurs jours, enveloppez-le dans un sac en papier, puis dans un sac en plastique afin d'emprisonner l'humidité. Le pain ne durcira pas, pas plus qu'il ne rassira. En fonction de sa variété et des ingrédients qui le composent, le pain peut être conservé 3 à 5 jours, voire plus longtemps s'il s'agit d'un pain au levain.

AUTOMNE

TARTINE AU BEURRE DE NOIX DE MACADAMIA-CARDAMOME

Pour 4 personnes

La cardamome est, de loin, l'épice que je préfère et celle qui stimule le plus mon imagination. Sa saveur exotique, musquée et résineuse m'évoque un café turc bien serré, les bazars aux épices et les yeux soulignés de khôl. Ici, la cardamome et le chocolat blanc apportent aux noix grillées une saveur sucrée et gourmande. Pour la personnaliser, ajoutez quelques figues fraîches coupées en quartiers ou des demi-abricots rôtis au miel – utilisez la méthode de la page 28, en remplaçant les poires par des abricots et le sirop d'érable par du miel.

BEURRE DE NOIX DE MACADAMIA

270 g de noix de macadamia
115 g de chocolat blanc
finement haché
1½ cuil. à café de cardamome moulue
½ cuil. à café de sel casher

TARTINE

4 tranches de pain de 2 cm d'épaisseur
beurre doux ramolli, pour le pain
sel casher (ou gros sel), pour le pain

1. **Préparer le beurre de noix de macadamia :** préchauffer le four à 190 °C (th. 6-7).

2. Dans une lèchefrite, griller les noix de macadamia 7 à 8 minutes, en remuant de temps à autre, jusqu'à ce qu'elles soient bien dorées. Les laisser refroidir dans un plat résistant à la chaleur.

3. Dans un bol allant au four micro-ondes, mettre le chocolat. Le faire fondre au micro-ondes sur la position décongélation 2 à 3 minutes par impulsions de 30 secondes, en remuant à chaque fois, jusqu'à obtention d'un mélange homogène.

4. Dans le bol d'un mixeur, mettre les noix de macadamia grillées, la cardamome et le sel. Mixer 1 minute, jusqu'à obtention d'un beurre crémeux. Ajouter le chocolat fondu et mixer encore 20 secondes, jusqu'à obtention d'un mélange homogène. À ce stade, le beurre est mou, mais il se raffermira au réfrigérateur.

5. **Réaliser la tartine :** faire griller le pain selon les conseils des pages 7 et 8, puis laisser refroidir 1 minute. Tartiner chaque tranche de pain de beurre de noix de macadamia et servir.

TARTINE AU BEURRE DE PEPPERONI ET AU FROMAGE

Pour 4 personnes

Beurre de pepperoni... Ces trois mots vont vous changer la vie ! Il suffit de mélanger un peu de beurre mou et quelques morceaux de ce salami épicé. La qualité de ce dernier est primordiale ; je vous conseille de l'acheter chez un traiteur italien, entier plutôt que prétranché pour qu'il ne sèche pas (la *nduja*, un saucisson doux à tartiner, ou encore la mortadelle conviennent également très bien). Avec un morceau de mozzarella fraîche fondue, vous obtenez une pizza d'un nouveau genre ! S'il vous reste du beurre de pepperoni, faites-le fondre pour agrémenter des pâtes – il transforme la préparation la plus fade en un *ragù* délicieux.

BEURRE DE PEPPERONI

115 g de beurre doux ramolli
55 g de pepperoni, coupé en morceaux d'1 cm
½ cuil. à café de paprika fumé
¼ à ½ cuil. à café de flocons de piment rouge

TARTINE

4 tranches de pain de campagne de 2 cm d'épaisseur
225 g de mozzarella fraîche, coupée en 8 tranches
4 cuil. à soupe de feuilles de basilic grossièrement ciselées ou déchirées
sel casher ou fleur de sel

1. **Préparer le beurre de pepperoni :** dans le bol d'un mixeur, réduire le beurre, le pepperoni, le paprika fumé et les flocons de piment en une pâte homogène, mais pas trop lisse.

2. **Réaliser la tartine :** sur chaque tranche de pain, tartiner une généreuse quantité de beurre de pepperoni, puis faire griller les tartines selon les conseils de la page 7.

3. Préchauffer le gril du four à feu vif et tapisser une plaque de cuisson d'une feuille d'aluminium. Sur chaque tartine, disposer 2 tranches de mozzarella en les faisant se chevaucher si nécessaire. Poser les tartines sur la plaque et enfourner sous le gril 2 à 3 minutes, jusqu'à ce que le fromage soit fondu et doré. Surveiller la cuisson, car la température des fours varie d'un modèle à l'autre.

4. Parsemer chaque tartine d'1 cuillerée à soupe de basilic, saupoudrer d'un peu de sel, puis servir.

TARTINE ROMESCO À LA MOUTARDE BRUNE AILLÉE

Pour 4 personnes

Dans de nombreuses régions européennes, les tomates d'été à la saveur sucrée sont récoltées jusqu'en octobre ; ainsi, elles s'associent naturellement aux premiers légumes d'hiver. Ici, les tomates se marient parfaitement avec la sauce *romesco* aux amandes ; d'origine espagnole, elle doit sa saveur piquante aux piments rouges séchés et au vinaigre de xérès. S'il vous reste de la sauce, servez-la avec des pâtes ou à l'apéritif.

SAUCE ROMESCO

1 grosse tomate, coupée en deux horizontalement et épépinée
8 cl d'huile d'olive vierge extra
1 grosse gousse d'ail pelée
1 piment guajillo (ou ancho) ou 2 piments pasilla
40 g d'amandes légèrement grillées
20 g de baguette coupée en dés de 2 cm
1 cuil. à soupe de vinaigre de xérès
1¼ cuil. à café de sel casher

TARTINE

2 cuil. à soupe d'huile d'olive vierge extra, plus un peu pour le pain et pour servir
2 gousses d'ail finement hachées
¼ de cuil. à café de poivre noir fraîchement moulu
170 g de moutarde brune ou de chou kale (sans les côtes et les tiges) grossièrement haché
½ cuil. à café de sel casher ou de fleur de sel
4 tranches de pain de campagne de 2 cm d'épaisseur

1. **Préparer la sauce :** préchauffer le gril du four à feu vif. Sur une plaque de cuisson tapissée d'une feuille d'aluminium, placer les demi-tomates et enfourner sous le gril 6 à 8 minutes, jusqu'à ce qu'elles commencent à roussir. Surveiller la cuisson, car la température des fours varie d'un modèle à l'autre. Les mettre dans le bol d'un mixeur.

2. Porter une petite casserole d'eau à ébullition.

3. Pendant ce temps, dans une sauteuse, chauffer l'huile d'olive à feu moyen-vif. Y cuire l'ail jusqu'à ce qu'il commence à grésiller. Cuire encore 1 à 2 minutes, en retournant l'ail plusieurs fois. Ajouter le piment et le cuire 1 à 2 minutes, jusqu'à ce qu'il gonfle et que l'ail soit bien doré. Placer l'ail dans le bol du mixeur. Dans la casserole d'eau bouillante, déposer le piment en utilisant une assiette ou un verre pour qu'il reste immergé.

4. Dans la poêle, frire les amandes et les dés de pain 2 minutes, jusqu'à ce qu'ils soient uniformément dorés. À l'aide de l'écumoire, les placer dans le bol du mixeur. Réserver l'huile de la sauteuse.

5. Égoutter le piment, l'épépiner et jeter la tige. Le placer dans le bol du mixeur. Ajouter le vinaigre, saler et mixer 30 secondes. Ajouter l'huile réservée et mixer 1 minute, jusqu'à obtention d'un mélange émulsionné.

6. **Réaliser la tartine :** dans la sauteuse, chauffer 2 cuillerées à soupe d'huile d'olive, l'ail et le poivre à feu moyen-vif 30 secondes. Ajouter la moutarde, ou le chou, et ½ cuillerée à café de sel. Cuire 3 à 4 minutes, en remuant souvent, jusqu'à ce que les légumes commencent à rendre leur eau. Égoutter à travers une mousseline ou une passoire.

7. Faire griller le pain selon les conseils des pages 7 et 8. Verser un peu de sauce sur chaque tartine. Garnir de légumes. Arroser d'huile d'olive et parsemer de sel.

TARTINE FAÇON CROQUE-MONSIEUR

Pour 4 personnes

Cette tartine m'a été inspirée par le croque-monsieur servi au *Harry's Bar* de Venise, le bar-restaurant légendaire où le cocktail Bellini et le carpaccio de bœuf ont été inventés. Contrairement à la version traditionnelle composée de béchamel, de jambon et de gruyère, le croque du *Harry's* propose une garniture piquante à base de gruyère, de moutarde de Dijon et de sauce Worcestershire, le tout lié par un jaune d'œuf. Un croque-monsieur version chic, en somme...

TARTINE

4 tranches de pain de mie ou de campagne de 2 cm d'épaisseur
3 cuil. à soupe d'huile d'olive vierge extra

GARNITURE

120 g de gruyère râpé
60 g d'emmental râpé
1 jaune d'œuf
2 cuil. à soupe de crème fraîche épaisse, un peu plus si nécessaire
1 cuil. à café de sauce Worcestershire
¼ de cuil. à café de moutarde de Dijon
¼ de cuil. à café de sel casher
115 g de jambon de la Forêt-Noire tranché, finement haché

1. **Préparer le pain :** arroser une face de chaque tranche de pain d'un filet d'huile d'olive, puis les frire à la poêle selon les conseils de la page 8. Sur une plaque de cuisson tapissée d'une feuille d'aluminium, disposer les tranches de pain, face non frite vers le haut.

2. **Réaliser le croque-monsieur :** dans le bol d'un mixeur, mixer le gruyère, l'emmental, le jaune d'œuf, la crème, la sauce Worcestershire, la moutarde et le sel 20 secondes, jusqu'à obtention d'une boule. Ôter la lame du mixeur et, à l'aide d'une cuillère, incorporer le jambon. Étaler la préparation sur chaque tranche de pain ; si elle est trop épaisse, ajouter de la crème fraîche. Disposer le pain sur une plaque de cuisson.

3. Positionner la grille du four à 15 à 18 cm du gril et préchauffer le four à feu vif. Y faire griller les tartines 3 à 4 minutes, jusqu'à ce que le fromage soit bien doré. Surveiller régulièrement la cuisson, car la température des fours varie d'un modèle à l'autre.

TARTINE DE COURGE GLACÉE AU CIDRE, MANCHEGO ET NOIX DE PÉCAN ÉPICÉES

Pour 4 personnes (il restera de la courge)

Le garam masala est un mélange d'épices, de graines et de feuilles originaire d'Inde. Il est composé de cumin, de graines de coriandre, de cannelle, de clous de girofle, de poivre, de laurier et de boutons de rose séchés. Le garam masala s'accorde parfaitement aux produits de l'automne tels que le cidre chaud ou encore la courge rôtie. La plupart des supermarchés en proposent ; on peut également le confectionner soi-même en torréfiant les épices jusqu'à ce qu'elles libèrent leur arôme, puis en les broyant finement au moulin à épices. Dans cette recette, le garam masala relève la douceur des noix de pécan grillées et de la courge butternut rôtie au cidre, aidé en cela par de fines lamelles de manchego, un fromage de brebis espagnol à pâte dure et salée.

NOIX DE PÉCAN ET COURGE

50 g de cerneaux de noix de pécan
1½ cuil. à café d'huile de colza
2 cuil. à soupe de sucre glace
¾ de cuil. à café de garam masala
¾ de cuil. à café de sel casher
30 g de beurre doux
1½ cuil. à café de romarin frais finement haché
1 bâton de cannelle
½ cuil. à café de poivre noir fraîchement moulu
340 g de courge butternut coupée en dés de 2 cm de côté
½ cuil. à café de gingembre moulu
⅛ de cuil. à café de piment de Cayenne
15 cl de cidre, un peu plus si nécessaire

TARTINE

4 tranches de pain de campagne de 2 cm d'épaisseur
beurre doux ramolli, pour le pain
un petit quartier de fromage de brebis à pâte dure (manchego ou pecorino romano)

1. **Préparer les noix de pécan :** préchauffer le four à 190 °C (th. 6-7). Tapisser une lèchefrite d'une feuille d'aluminium.

2. Dans un bol, enrober les noix de pécan d'huile de colza. Dans un autre bol, mélanger le sucre glace, le garam masala et ¼ de cuillerée à café de sel. Ajouter aux noix de pécan et bien mélanger. Verser les noix de pécan sur la plaque de cuisson et les griller au four 10 à 12 minutes, jusqu'à ce qu'elles libèrent leur arôme. Les sortir du four, les laisser refroidir, puis les hacher grossièrement.

3. **Préparer la courge :** dans une sauteuse, faire fondre le beurre à feu moyen-vif. Ajouter le romarin, le bâton de cannelle et le poivre. Cuire 30 secondes jusqu'à ce que le mélange libère son arôme. Ajouter la courge, le gingembre, le piment de Cayenne et la ½ cuillerée à café de sel restante. Réduire à feu moyen et cuire 8 minutes, en remuant de temps à autre, jusqu'à ce que les bords des dés brunissent. Ajouter le cidre, réduire à feu doux-moyen et prolonger la cuisson 10 minutes, en remuant souvent, jusqu'à évaporation du cidre et jusqu'à ce que la courge soit tendre. Ajouter un peu de cidre si elle sèche avant d'être cuite. Retirer la sauteuse du feu, jeter le bâton de cannelle, puis écraser la courge à l'aide d'un presse-purée manuel ou d'une fourchette.

4. **Réaliser la tartine :** faire griller le pain selon les conseils des pages 7 et 8. Déposer une généreuse quantité de purée de courge sur chaque tranche de pain, puis l'étaler de manière homogène. Ajouter un peu de noix de pécan, puis quelques lamelles de manchego et servir.

TARTINE AUX CHAMPIGNONS DES BOIS

Pour 4 personnes

Vous savez ce qui me réchauffe le plus le cœur en automne ? Faire une balade dans les bois et entendre les feuilles mortes craquer sous mes pas, humer l'odeur des pins et apercevoir un filet de fumée provenant probablement d'un poêle à bois situé à quelque distance de là... Cette tartine rassemble en une bouchée toutes ces sensations réconfortantes : oignons caramélisés aux noisettes, romarin, thym et champignons sauvages évoqueront immanquablement le sol d'une forêt automnale. Cette garniture est particulièrement savoureuse sur un pain à la polenta ou au pecorino et poivre noir.

OIGNON ET CHAMPIGNONS

30 g de beurre doux
1 cuil. à soupe d'huile d'olive vierge extra
½ oignon jaune moyen, coupé en deux et émincé
2 cuil. à café de romarin frais finement ciselé
1 cuil. à café de thym frais finement ciselé
225 g de champignons sauvages (trompettes de la mort, chanterelles ou pieds bleus), tiges ôtées, finement émincés
1 cuil. à café de sel casher, un peu plus si nécessaire
1 cuil. à soupe de vermouth sec
½ cuil. à café de poivre noir fraîchement moulu

TARTINE

3 cuil. à soupe de pignons de pin
4 tranches de pain au levain de 2 cm d'épaisseur
huile d'olive vierge extra, pour le pain
sel casher, pour le pain
1 cuil. à soupe de persil plat finement ciselé

1. **Préparer l'oignon et les champignons :** dans une sauteuse à feu moyen-vif, chauffer le beurre et l'huile d'olive. Quand le beurre est fondu, ajouter l'oignon, le romarin et le thym. Cuire 5 à 6 minutes, en remuant souvent, jusqu'à ce que l'oignon soit tendre et commence à dorer. Réduire à feu doux-moyen et prolonger la cuisson 15 à 20 minutes à couvert, en remuant de temps à autre, jusqu'à ce que l'oignon soit bien doré.

2. Ajouter les champignons, saler et cuire 8 minutes, en remuant souvent, jusqu'à ce que les champignons soient tendres et dorés. Ajouter le vermouth et poivrer. Cuire jusqu'à évaporation du liquide, puis retirer la sauteuse du feu. Goûter et rectifier l'assaisonnement si nécessaire.

3. **Réaliser la tartine :** dans une poêle, faire griller les pignons de pin à feu moyen 3 à 5 minutes, en remuant souvent, jusqu'à ce qu'ils soient bien dorés. Les laisser refroidir sur une assiette résistant à la chaleur.

4. Faire griller le pain selon les conseils des pages 7 et 8. Garnir généreusement les tranches de pain du mélange aux champignons. Parsemer de pignons de pin et de persil, puis servir.

TARTINE AU POULET FRIT LAQUÉ AU MIEL

Pour 4 personnes

Cette tartine au poulet frit ressemble à la fois à une gaufre garnie de poulet frit à la mode du Sud américain et au poulet frit à la sichuanaise. Le fait d'enrober le pain de mayonnaise lui offre une barrière croustillante qui l'empêche d'être détrempé par la sauce – une astuce que j'utilise également pour la Tartine au steak à l'américaine (p. 53). En coupant le poulet en lanières, vous offrez un enrobage croquant à chaque bouchée ; en coupant les cuisses en deux, l'équilibre entre le poulet et la panure est mieux respecté.

POULET FRIT

25 cl de lait ribot
2½ cuil. à café de sel casher
½ cuil. à café d'ail en poudre
½ cuil. à café de poivre noir fraîchement moulu
½ cuil. à café de paprika doux
700 g de cuisses de poulet désossées, sans la peau, coupées en deux dans la largeur ou en lanières
125 g de farine
50 g de fécule de maïs
3 cuil. à soupe de sauce barbecue
2 cuil. à soupe de ketchup
2 cuil. à soupe de miel
1 à 2 cuil. à soupe de sauce piquante
95 cl à 1,2 l d'huile de colza
2 cuil. à soupe de graines de sésame grillées

TARTINE

4 tranches de pain de mie
3 cuil. à soupe de mayonnaise, pour le pain
sel casher (ou gros sel), pour le pain

1. **Préparer le poulet frit :** dans un saladier, fouetter le lait ribot avec 2 cuillerées à café de sel, l'ail en poudre, le poivre et le paprika. Y placer les cuisses de poulet et les laisser mariner 1 heure ou toute une nuit au réfrigérateur.

2. Dans un saladier, fouetter la farine avec la fécule de maïs et la ½ cuillerée à café de sel restante. Dans un autre saladier, fouetter la sauce barbecue, le ketchup, le miel et la sauce piquante. Réserver.

3. Sortir le poulet de la marinade et jeter celle-ci. Enrober la viande du mélange à la farine. Réserver.

4. Poser une grille sur une plaque de cuisson tapissée de papier absorbant. Dans une sauteuse, chauffer l'huile à feu moyen-vif. Y plonger la moitié des morceaux de poulet et les frire 4 à 5 minutes par face, jusqu'à ce qu'ils soient dorés et cuits à cœur. Les retirer à l'aide d'une écumoire et les égoutter sur la grille. Répéter l'opération avec les morceaux de poulet restants.

5. **Réaliser la tartine :** tartiner les tranches de pain de mayonnaise et les saler. Les faire griller au four ou à la poêle selon les conseils des pages 7 et 8. La mayonnaise cuit plus rapidement que le beurre ou l'huile : surveiller la cuisson pour éviter que la tartine ne brûle. Si l'on frit le pain à la poêle, ne pas ajouter de beurre ou d'huile au préalable – la mayonnaise suffit à faire dorer le pain.

6. Enduire le poulet frit du mélange à la sauce barbecue. Parsemer de graines de sésame, puis disposer 1 ou 2 morceaux de poulet sur chaque tranche de pain grillée. Servir.

TARTINE DE LENDEMAIN DE NOËL

Pour 4 personnes

Noël. Les restes de dinde. Si vous n'avez pas l'un des ingrédients ci-dessous, vous pouvez facilement lui en substituer un autre. La farce peut remplacer la purée de pommes de terre ; une sauce aux pommes, celle aux cranberries ; pour une version végétarienne, la dinde peut même être oubliée au profit de légumes cuits. C'est comme fêter à nouveau Noël, sans tout le travail qu'exige la préparation d'un repas de fête !

- 70 g de beurre doux
- 4 feuilles de sauge fraîches ciselées
- 1 gousse d'ail finement hachée
- 285 g de dinde émincée (de préférence, un mélange de viande blanche et brune)
- sel casher (ou gros sel)
- 4 tranches de pain de 2 cm d'épaisseur
- 180 g de purée de pommes de terre (réchauffée au four micro-ondes si elle est froide)
- environ 60 g de fromage râpé (cheddar ou gouda jeune)
- 15 cl de sauce aux cranberries
- 15 cl de sauce brune (facultatif)
- 1 cuil. à soupe de ciboulette finement ciselée

1. Dans un bol allant au four micro-ondes, faire chauffer le beurre, la sauge et l'ail à puissance maximale 1 minute 30 par impulsions de 20 secondes, jusqu'à ce que le beurre soit fondu et les aromates libèrent leur arôme.

2. Dans une sauteuse, chauffer 2 cuillerées à soupe de beurre de sauge à feu moyen. Ajouter la dinde et la cuire 3 à 4 minutes, en remuant souvent, jusqu'à ce que la viande soit croustillante et bien chaude. Elle ne doit pas sécher. Saler et réserver.

3. Préchauffer le gril du four à feu vif. Badigeonner le pain des 3 cuillerées à soupe de beurre de sauge restantes et le déposer sur une plaque de cuisson. Le faire griller selon les conseils de la page 7. Sortir le pain du four, mais laisser le gril allumé.

4. Dans un saladier, mélanger la purée et le fromage. Répartir la sauce aux cranberries sur la face beurrée de chaque tartine. Faire de même avec la purée au fromage et remettre les tartines sous le gril du four 30 secondes à 1 minute, jusqu'à ce que la purée soit légèrement dorée. Surveiller la cuisson, car la température des fours varie d'un modèle à l'autre.

5. Déposer la dinde sur la purée, napper éventuellement de sauce brune et parsemer de ciboulette. Servir.

TARTINE AUX POIRES RÔTIES, CONFITURE DE FIGUE AU SÉSAME ET VINAIGRE BALSAMIQUE

Pour 4 personnes

Des fruits, du fromage, du pain et une touche d'acidité : cette tartine est un véritable plateau de fromages à elle toute seule ! Les poires sont rôties au sucre roux et au sirop d'érable jusqu'à devenir tendres et caramélisées. Elles sont ici accompagnées d'une couche de confiture de figue agrémentée de graines de sésame qui lui confèrent une surprenante note craquante. La réduction de vinaigre balsamique apporte une saveur mêlant sucré et acide, contrebalancée par les copeaux de parmesan.

POIRES RÔTIES

2 cuil. à soupe de cassonade
2 cuil. à soupe de sirop d'érable
2 pincées de sel casher
2 poires Williams pas trop mûres évidées et coupées en deux, chaque moitié émincée dans la longueur en 6 tranches

TARTINE

6 cl de vinaigre balsamique
1 cuil. à soupe de graines de sésame blanc grillées
4 cuil. à soupe de confiture de figue
4 tranches de pain aux fruits frais et secs, de 2 cm d'épaisseur
beurre doux ramolli, pour le pain
un petit morceau de parmesan

1. **Préparer les poires rôties :** préchauffer le four à 200 °C (th. 6-7). Tapisser une lèchefrite d'une feuille d'aluminium.

2. Dans un bol, mélanger le sucre roux, le sirop d'érable et le sel, puis enrober délicatement les tranches de poire de cette préparation. Les disposer sur la lèchefrite et enfourner 18 à 20 minutes, jusqu'à ce que les poires soient tendres et commencent à brunir sur les bords. Les sortir du four, les retourner délicatement et les laisser refroidir.

3. **Réaliser la tartine :** dans une casserole, chauffer le vinaigre à feu moyen 3 à 5 minutes, jusqu'à obtention d'une consistance sirupeuse – il va continuer à épaissir en refroidissant ; s'il devient trop épais pour l'utiliser, le réchauffer quelques secondes au four micro-ondes. Dans un bol, mélanger les graines de sésame et la confiture.

4. Faire griller le pain selon les conseils des pages 7 et 8.

5. À l'aide d'un économe, former des copeaux de parmesan. Étaler un peu de confiture de figue sur chaque tartine, puis y déposer quelques tranches de poire. Arroser les tartines d'un peu de réduction de vinaigre balsamique. Ajouter les copeaux de parmesan et servir.

TARTINE À LA TARTE AUX POMMES HOLLANDAISE

Pour 4 personnes

Parfois, on a juste envie de savourer une bonne tarte aux pommes sans avoir à se lancer dans la confection d'une pâte. C'est ainsi que m'est venue l'idée d'associer une tartine beurrée, des pommes sautées aux épices et un streusel aux noisettes. Le pain remplace le fond de pâte – avantageusement, je vous le promets.

POMMES ET STREUSEL

2 pommes Granny Smith (ou autres pommes à cuire) épluchées, évidées et coupées en morceaux d'1 cm
4 cuil. à soupe de cranberries séchées
3 cuil. à soupe de sucre cristal
1 cuil. à soupe de jus de citron frais
1 cuil. à café de cannelle moulue
¼ de cuil. à café de sel casher
85 g de beurre doux
2 cuil. à soupe de crème fraîche épaisse
40 g de farine
2 cuil. à soupe de cassonade
2 cuil. à café de farine de maïs

TARTINE

4 tranches de pain de campagne de 2 cm d'épaisseur
beurre doux ramolli, pour le pain
sucre glace

1. **Préparer les pommes et le streusel :** dans un saladier, mélanger les pommes, les cranberries, 2 cuillerées à soupe de sucre cristal, le jus de citron, la cannelle et ⅛ de cuillerée à café de sel.

2. Dans une casserole à feu moyen-vif, faire fondre 2 cuillerées à soupe de beurre. Y cuire le mélange aux pommes à feu moyen 8 minutes en remuant, jusqu'à ce que presque tout le jus des pommes se soit évaporé. Incorporer la crème et prolonger la cuisson 4 à 5 minutes, jusqu'à ce que les pommes soient tendres et que l'on puisse les réduire en purée. Retirer du feu et écraser la moitié des pommes à l'aide d'une fourchette.

3. Pendant la cuisson des pommes, préchauffer le four à 180 °C (th. 6). Tapisser une lèchefrite d'une feuille d'aluminium.

4. Dans un saladier, mélanger la farine, la cassonade, la farine de maïs, la cuillerée à soupe de sucre cristal restante et ⅛ de cuillerée à café de sel. Faire fondre les 4 cuillerées à soupe de beurre restantes et les ajouter au mélange à la farine. Mélanger à la fourchette jusqu'à ce que le streusel forme de grosses miettes. Transférer le streusel sur la plaque de cuisson et enfourner 8 à 10 minutes, jusqu'à ce qu'il soit bien doré. Le sortir du four.

5. **Réaliser la tartine :** faire griller le pain selon les conseils des pages 7 et 8. Répartir les pommes sur les tranches de pain, puis y déposer une poignée de streusel, en appuyant dessus pour qu'il adhère bien. Saupoudrer de sucre glace et servir.

TARTINE AU CHOU-FLEUR ET À LA BIÈRE

New York | Pour 4 personnes

Auteur du célèbre ouvrage *Smitten Kitchen* et du blog du même nom, Deb Perelman a réussi à marier deux de ses obsessions, le chou-fleur et le *welsh rarebit*, en une seule recette inspirée des pubs britanniques. La béchamel utilisée ici est composée de cheddar extra-vieux et de bière brune en lieu et place du lait traditionnel. La sauce est versée sur une tranche de pain garnie de chou-fleur – si vous avez le temps, enrobez-la de 2 cuillerées à soupe d'huile et faites-la rôtir environ 20 minutes à 200 °C (th. 6-7). Le résultat ? Une tartine rassasiante et réconfortante.

SAUCE AU CHOU-FLEUR ET AU FROMAGE

1 petit chou-fleur détaillé en petits bouquets
2½ cuil. à café de sel casher
45 g de beurre doux
3 cuil. à soupe de farine
2 cuil. à café de moutarde de Dijon ou de moutarde en poudre
¼ de cuil. à café de piment de Cayenne
35 cl de bière brune
1 cuil. à café de sauce Worcestershire, plus un peu pour servir
170 g de cheddar extra-vieux râpé

TARTINE

4 tranches de pain de seigle de 2 cm d'épaisseur
persil plat frais (facultatif)

1. **Préparer le chou-fleur :** porter une casserole d'eau à ébullition. Y plonger le chou-fleur et ajouter 2 cuillerées à café de sel. Le cuire 4 à 5 minutes, jusqu'à ce qu'il soit tendre. L'égoutter, puis le laisser refroidir sur un torchon.

2. **Préparer la sauce au fromage :** dans la casserole, faire fondre le beurre à feu moyen-vif. Ajouter la farine et cuire le roux 1 minute, sans cesser de remuer. Incorporer la moutarde et le piment de Cayenne. Y verser lentement la bière enfilet, en fouettant constamment pour que le mélange reste homogène. Ajouter la sauce Worcestershire et la ½ cuillerée à café de sel restante, puis mélanger à l'aide d'une cuillère en bois 30 secondes à 1 minute, jusqu'à ce que le mélange épaississe légèrement. Ajouter le cheddar petit à petit, en le laissant fondre entre chaque ajout. Quand tout le fromage a été ajouté, retirer la casserole du feu, goûter et rectifier l'assaisonnement si nécessaire. Laisser refroidir légèrement.

3. **Réaliser la tartine :** pendant que la sauce refroidit, préchauffer le gril du four à feu vif. Tapisser une lèchefrite d'une feuille d'aluminium. Y disposer les tranches de pain et les faire griller au four 1 minute 30 à 2 minutes par face, jusqu'à ce qu'elles soient bien dorées.

4. Garnir chaque tartine de bouquets de chou-fleur. Napper généreusement de sauce au fromage, arroser de quelques gouttes de sauce Worcestershire et servir.

TARTINE AUX NAVETS HAKUREI, POULET POCHÉ ET BEURRE DE POMME

État de Géorgie (USA) | Pour 4 personnes

Originaire du Japon, le navet Hakurei est vendu dans les marchés de producteurs dès le début du printemps et jusqu'à la fin de l'automne. Installé en Géorgie, le chef Hugh Acheson – qui est à la tête du *Five & Ten*, de l'*Empire State South* et du *Florence* – poche les cuisses de poulet et les navets avant de les disposer sur une tranche de pain frite. Il fait ensuite sauter les fanes avec un peu d'ail et en agrémente les tartines.

POULET POCHÉ ET NAVETS

30 g de beurre doux
½ petit oignon jaune finement émincé
½ branche de céleri finement hachée
1 brin de thym frais
2 feuilles de laurier
50 cl de bouillon de volaille
2 cuisses de poulet sans la peau
½ cuil. à café de sel casher
8 petits navets Hakurei avec la peau, coupés en quatre, fanes réservées

1. **Pocher le poulet et les navets :** dans un faitout, faire fondre le beurre à feu moyen. Ajouter l'oignon et le céleri et cuire 5 minutes, jusqu'à ce que l'oignon soit tendre. Ajouter le thym, les feuilles de laurier et le bouillon de volaille et chauffer jusqu'à frémissement – la température du liquide doit atteindre 85 °C.

2. Saler le poulet et le plonger dans le bouillon. Couvrir et pocher le poulet 20 minutes, jusqu'à ce qu'il soit moelleux et cuit à cœur. Le sortir du bouillon et le laisser refroidir.

3. Plonger les navets dans le bouillon, réduire à feu doux-moyen et les cuire 7 minutes, jusqu'à ce qu'ils soient tendres. Égoutter et réserver.

TARTINE

4 cuil. à soupe d'huile d'olive vierge extra
4 tranches de pain de campagne de 2 cm d'épaisseur
les fanes de navets Hakurei réservées
½ cuil. à café de sel casher
4 cuil. à soupe de beurre de pomme
115 g de fromage émietté (fromage frais ferme ou feta)
55 g d'amandes Marcona pilées

4. **Réaliser la tartine :** dans une sauteuse à feu moyen-vif, chauffer l'huile d'olive 2 minutes 30 à 3 minutes, jusqu'à ce qu'elle fume. Y frire 2 tranches de pain 2 minutes par face, jusqu'à ce qu'elles soient bien dorées. Les transférer sur une assiette tapissée de papier absorbant et répéter l'opération avec le pain restant.

5. Réserver 1 cuillerée à soupe de l'huile d'olive de la sauteuse. Dans la sauteuse, chauffer l'huile réservée et faire suer les fanes de navets 1 minute. Saler, ajouter les navets pochés et bien mélanger. Retirer du feu. Jeter les os de poulet et effilocher la chair, puis l'incorporer au mélange aux navets.

6. Tartiner les tranches de pain de beurre de pomme. Les garnir du mélange au poulet et aux navets. Parsemer de fromage et d'amandes pilées, puis servir.

HIVER

LA MEILLEURE TARTINE À LA CANNELLE

Pour 4 personnes

Ma maman n'est pas une grande cuisinière. Cela étant dit, il est difficile de rater une tartine à la cannelle et ce plat est l'une de ses plus grandes réussites ; voilà pourquoi il occupe toujours une place dans mon cœur. Néanmoins, j'ai choisi de le modifier quelque peu : je trempe du pain grillé et beurré dans un sirop de sucre à la cannelle. Ensuite, j'enrobe de sucre à la cannelle la face collante du pain et fris la tartine dans le beurre : les bords caramélisés de la tartine lui donnent une saveur de bonbon.

SIROP DE CANNELLE

100 g de sucre en poudre
3 bâtons de cannelle

TARTINE

4 tranches de pain de mie ou de pain complet de 2 cm d'épaisseur
85 g de beurre doux ramolli
3 cuil. à soupe de sucre en poudre
2 cuil. à café de cannelle moulue
sucre glace (facultatif)

1. **Préparer le sirop à la cannelle :** dans une petite casserole, mettre le sucre et les bâtons de cannelle. Ajouter 15 cl d'eau et porter à ébullition à feu vif, en remuant souvent, jusqu'à entière dissolution du sucre. Réduire à feu doux-moyen et laisser mijoter 5 minutes, jusqu'à ce que la cannelle libère son arôme. Retirer du feu et laisser refroidir – le sirop peut être conservé au réfrigérateur pendant 3 semaines au maximum.

2. **Réaliser la tartine :** tartiner chaque face des tranches de pain de 3 à 4 cuillerées à soupe de beurre. Les faire griller au four ou frire à la poêle selon les conseils des pages 7 et 8. Badigeonner généreusement une face de chaque tranche de pain de sirop à la cannelle – le pain doit en être saturé, sans être détrempé pour autant.

3. Dans un bol, mélanger le sucre et la cannelle. En réserver 2 ou 3 cuillerées à soupe, puis verser le reste sur une assiette. Tremper chaque face gorgée de sirop des tartines dans le sucre à la cannelle.

4. Dans une sauteuse, faire fondre les 2 ou 3 cuillerées à soupe de beurre réservées à feu moyen-vif. Réduire à feu moyen et y mettre les tartines, face enrobée de sucre contre le métal. Poser une grande assiette résistant à la chaleur sur les tartines pour exercer un poids. Si cela n'est pas suffisant, ajouter 1 ou 2 conserves sur l'assiette. Cuire les tartines 3 à 4 minutes, jusqu'à ce que les bords soient caramélisés et que le sucre, complètement fondu, brille à la surface du pain.

5. Servir chaque tartine face caramélisée vers le haut. Saupoudrer d'un peu du sucre à la cannelle et, éventuellement, de sucre glace.

TARTINE AUX BETTERAVES RÔTIES, LABNEH ET MIEL AU SAFRAN

Pour 4 personnes

Le labneh est un yaourt fermenté libanais. Sa saveur est à mi-chemin entre la crème fraîche et la crème aigre. Il se présente en pot ou en boules conservées dans l'huile d'olive. Ici, j'utilise un labneh crémeux que j'étale sur la tartine et je l'accompagne de betteraves rôties et de miel infusé au safran. Les pistaches torréfiées et la menthe fraîche ciselée apportent une touche de couleur vive et un croustillant appréciables.

MIEL ET BETTERAVES RÔTIES

½ cuil. à café de filaments de safran
15 cl de miel
¼ de cuil. à café de sel casher
3 betteraves, extrémités retirées
2 cuil. à soupe d'huile d'olive vierge extra
2 cuil. à café de feuilles de menthe fraîche finement ciselées
poivre noir fraîchement moulu

TARTINE

4 tranches de pain de campagne de 2 cm d'épaisseur
huile d'olive vierge extra, pour le pain
sel casher (ou gros sel), pour le pain
25 cl de labneh ou de yaourt à la grecque nature
4 cuil. à soupe de pistaches grillées et grossièrement hachées
fleur de sel

1. **Préparer le miel au safran :** dans une petite poêle, griller le safran à feu moyen 30 secondes à 1 minute, en secouant souvent la poêle, jusqu'à ce qu'il libère son arôme. Le transférer dans un plat et le réduire en poudre fine avec le dos d'une cuillère. Dans la poêle, verser le miel et chauffer à feu moyen jusqu'à frémissement. Ajouter le safran et 1 pincée de sel, retirer du feu et réserver.

2. **Faire rôtir les betteraves :** préchauffer le four à 190 °C (th. 6-7). Sur une grande feuille d'aluminium, déposer les betteraves et arroser chacune d'elles d'1 cuillerée à café d'huile. Les envelopper du papier, les placer sur une lèchefrite et les enfourner 1 heure, jusqu'à ce qu'elles soient tendres lorsqu'on les perce avec la pointe d'un couteau. Sortir les betteraves du four et les laisser refroidir 20 minutes avant d'ôter le papier. Lorsque les légumes sont assez froids pour être manipulés, les éplucher et les couper en morceaux de la taille d'une bouchée. Les enrober d'1 cuillerée à soupe d'huile, de menthe, d'¼ de cuillerée à café de sel et de poivre, puis réserver.

3. **Réaliser la tartine :** faire griller le pain selon les conseils des pages 7 et 8. Laisser refroidir quelques minutes avant de garnir les tartines. Tartiner chaque tranche de pain de labneh. Garnir de morceaux de betterave et de pistaches. Arroser généreusement de miel au safran et parsemer de fleur de sel. Servir.

TARTINE À L'ŒUF ET À LA POMME DE TERRE

Pour 4 personnes

Les croquettes de pommes de terre marient le croustillant et le fondant. Posées sur une tartine beurrée et surmontées d'un œuf au plat, elles donnent toute la mesure de leur talent ! Grande amoureuse du ketchup, je n'hésite pas à agrémenter ma tartine d'un grand zigzag rouge ! On peut le remplacer par de la salsa ou une autre sauce piquante. C'est la tartine que je réclame après une soirée mémorable, quand je me réveille affamée ! Essayez, vous verrez !

CROQUETTES

225 g de croquettes de pommes de terre surgelées
1 cuil. à soupe d'huile de colza

TARTINE

4 tranches de pain de mie ou de campagne de 2 cm d'épaisseur
15 g de beurre doux ramolli
4 œufs
sel casher (ou gros sel) et poivre noir fraîchement moulu
ketchup, salsa ou autre sauce piquante
fleur de sel

1. **Cuire les croquettes de pommes de terre :** préchauffer le four à la température indiquée sur l'emballage. Dans un bol, enrober les croquettes d'huile pour qu'elles soient très croustillantes, puis les déposer sur une lèchefrite. Les cuire au four selon les indications portées sur l'emballage.

2. **Réaliser la tartine :** suivre les conseils de la page 8 pour frire le pain. Déposer chaque tartine sur une assiette. Répartir les croquettes sur le pain et les écraser à l'aide d'une fourchette.

3. Dans une sauteuse, chauffer la cuillerée à soupe de beurre restante à feu moyen-vif. Y casser les œufs, saler et poivrer. Les cuire 3 à 4 minutes, jusqu'à ce que le blanc soit pris et le jaune encore coulant. Déposer un œuf sur chaque tartine, arroser de sauce, parsemer de fleur de sel et servir.

TARTINE AU CHOU, LENTILLES ET BACON

Pour 4 personnes

Les lentilles sont présentes à ma table chaque semaine. Bon marché, elles regorgent de protéines, de fibres et de fer. Dans cette recette, j'utilise du magret de canard séché (mais le bacon fonctionne très bien) pour rendre le plat plus consistant ; cependant, il est possible de le remplacer par du bacon végétarien ou d'oublier cet ingrédient. Les fines lanières de chou allègent la tartine – ajoutez un œuf poché ou au plat pour accompagner les restes, et vous obtiendrez un mets divin !

LENTILLES

2 cuil. à soupe d'huile d'olive vierge extra
5 tranches de bacon ou de magret de canard séché finement émincé
4 échalotes finement émincées
½ cuil. à café de poivre noir fraîchement moulu
2 gousses d'ail finement hachées
¼ de chou vert émincé (sans les grosses côtes)
1½ cuil. à café de thym frais finement ciselé
1 cuil. à café de sel casher
165 g de lentilles vertes du Puy rincées
15 cl de vin blanc sec
15 g de beurre doux

TARTINE

4 tranches de pain de campagne de 2 cm d'épaisseur
huile d'olive vierge extra pour le pain, plus un peu pour servir
sel casher (ou gros sel), pour le pain
2 jeunes oignons finement émincés

1. **Préparer les lentilles :** dans une sauteuse, chauffer l'huile d'olive à feu moyen. Ajouter la viande et cuire 5 à 6 minutes, jusqu'à ce qu'elle ait rendu tout son gras et soit croustillante. La transférer sur une assiette à l'aide d'une écumoire et réserver. Dans la sauteuse, mettre les échalotes et le poivre et cuire 1 minute, jusqu'à ce que les échalotes commencent à être tendres. Ajouter l'ail et le cuire 30 secondes, jusqu'à ce qu'il libère son arôme. Ajouter ensuite le chou, le thym et le sel et cuire 7 à 8 minutes, en remuant de temps à autre, jusqu'à ce que le chou commence à adhérer à la sauteuse.

2. Ajouter les lentilles et le vin blanc. Augmenter le feu à feu vif et laisser mijoter 2 à 3 minutes, en remuant de temps à autre, jusqu'à entière évaporation du vin. Ajouter 35 cl d'eau et porter à ébullition. Baisser à feu doux et laisser mijoter 50 minutes à couvert, jusqu'à ce que les lentilles soient tendres, puis incorporer le beurre.

3. **Réaliser la tartine :** faire griller le pain selon les conseils des pages 7 et 8. Garnir chaque tranche de pain de lentilles. Parsemer de magret, ou de bacon, puis de jeunes oignons. Arroser d'un filet d'huile d'olive et servir.

TARTINE DE LÉGUMES COMME À BOMBAY

Pour 4 personnes

Il existe quantité de manières d'utiliser un reste de purée de pommes de terre, mais pourquoi ne pas tester une version originale, en y ajoutant notamment du curry ? Je suis une inconditionnelle de cette épice. La coriandre hachée donne également au mélange chou, carottes, oignons une touche indienne. Les palets sont frits, puis écrasés sur une tartine recouverte d'une couche de chutney. Si vous appréciez les plats relevés, ajoutez quelques piments jalapeño hachés.

LÉGUMES

¼ de petit chou blanc, coupé en lanières d'1 cm
2 carottes coupées en rondelles biseautées d'1,25 cm de large
½ oignon rouge moyen finement émincé
2 cuil. à soupe d'huile d'olive vierge extra
1 cuil. à café de curry en poudre
2¼ cuil. à café de sel casher
2 pommes de terre (par exemple, bintje) épluchées et coupées en dés d'1 cm de large
1 cuil. à café de curcuma moulu
7 cl de lait entier
45 g de beurre doux ramolli
2 cuil. à soupe de coriandre fraîche hachée

TARTINE

4 tranches de pain de campagne de 2 cm d'épaisseur
huile de colza, pour le pain
sel casher (ou gros sel), pour le pain
4 cuil. à soupe de chutney de mangue épicé

1. **Préparer les légumes :** préchauffer le four à 200 °C (th. 6-7). Dans un saladier, mélanger le chou, la carotte, l'oignon, l'huile, le curry et ½ cuillerée à café de sel. Verser le mélange dans une lèchefrite. Enfourner 25 à 30 minutes, jusqu'à ce que le chou et les oignons soient dorés et que les carottes soient tendres, en remuant une fois en milieu de cuisson.

2. Pendant ce temps, dans une casserole, mettre les pommes de terre. Ajouter 1 cuillerée à café de sel et couvrir d'eau à fleur. Porter à ébullition, ajouter le curcuma et cuire 10 à 12 minutes, jusqu'à ce que les pommes de terre soient tendres. Les égoutter.

3. Dans la casserole, verser le lait et porter à ébullition à feu moyen-vif. Quand il commence à bouillir, ajouter les pommes de terre et retirer la casserole du feu. Réduire les pommes de terre en purée au presse-purée manuel ou à la fourchette, puis ajouter 30 g de beurre et le sel restant, en écrasant jusqu'à ce que le beurre soit incorporé. Ajouter les légumes rôtis et la coriandre, puis bien mélanger.

4. Façonner le mélange en 4 palets et les abaisser légèrement. Dans une poêle antiadhésive, faire fondre les 15 g de beurre restants à feu moyen-vif. Y déposer les palets et les frire 3 à 4 minutes, en les retournant une fois, jusqu'à ce qu'ils soient uniformément dorés.

5. **Réaliser la tartine :** faire griller le pain selon les conseils des pages 7 et 8. Étaler 1 cuillerée à soupe de chutney sur chaque tartine de pain. Déposer un palet frit, en l'écrasant légèrement sur le pain, puis servir.

TARTINE AUX 3 FROMAGES, ÉPINARDS ET ARTICHAUTS

Pour 4 personnes

Quand arrivent les vacances d'hiver, je suis sûre de participer à au moins une soirée où l'on servira un dip à l'artichaut. Cette version acidulée regorge d'artichauts et d'épinards mais aussi de gouda, de cheddar et de parmesan. Le dip à l'artichaut étant généralement servi avec du pain, sa version tartine m'a paru couler de source...

DIP ARTICHAUTS-ÉPINARDS

1 cuil. à soupe d'huile d'olive vierge extra
½ oignon rouge finement émincé
½ cuil. à café de sel casher, plus 1 pincée
15 cl de crème aigre
4 cuil. à soupe de mayonnaise
85 g de gouda râpé
85 g de cheddar moyen râpé
115 g de parmesan finement râpé
le zeste finement râpé d'1 citron
½ cuil. à café d'ail en poudre
3 cœurs d'artichaut marinés, grossièrement hachés
115 g de pousses d'épinards grossièrement hachées

TARTINE

4 tranches de pain de campagne de 2 cm d'épaisseur
huile d'olive vierge extra, pour le pain
sel casher (ou gros sel), pour le pain
1 cuil. à soupe de ciboulette finement ciselée

1. **Préparer le dip :** préchauffer le four à 190 °C (th. 6-7).

2. Dans une poêle, chauffer l'huile à feu moyen-vif. Ajouter l'oignon et 1 pincée de sel et le faire revenir 3 à 4 minutes, en remuant de temps à autre, jusqu'à ce qu'il soit doré.

3. Dans un saladier, verser l'oignon et ajouter la crème, la mayonnaise, le gouda, le cheddar, 85 g de parmesan, les zestes de citron, l'ail et la ½ cuillerée à café de sel restante. Bien mélanger. Incorporer les artichauts et les épinards et verser le mélange dans un plat à four sur 2,5 à 4 cm de hauteur. Parsemer du parmesan restant et enfourner 20 minutes, jusqu'à ce que le mélange bouillonne et commence à dorer. Sortir le plat du four et laisser refroidir 20 minutes.

4. **Réaliser la tartine :** faire griller le pain selon les conseils des pages 7 et 8. Garnir chaque tranche de pain d'un peu de dip à l'artichaut et parsemer de ciboulette. Servir.

TARTINE AUX TOMATES RÔTIES ET À LA CRÈME DE FETA

Pour 4 personnes

Généralement, les tomates hors saison sont insipides ; néanmoins, le fait de les rôtir permet non seulement de concentrer et d'adoucir leur parfum, mais aussi de les rendre beaucoup plus juteuses. Avec sa sauce riche et crémeuse à la feta, cette tartine est tout bonnement divine. Achetez l'origan séché de la meilleure qualité possible ; si votre bocal est dans votre placard depuis plus d'un an, jetez-le et achetez-en un autre. Écrasez les herbes entre vos doigts avant de les parsemer sur le plat pour en libérer les huiles essentielles qu'elles contiennent et, ainsi, donner plus de goût à votre préparation.

TOMATES RÔTIES ET CRÈME DE FETA

2 tomates olivettes évidées
 et coupées en deux
½ cuil. à café de paprika doux
½ cuil. à café de poivre noir fraîchement moulu
¾ de cuil. à café de sel casher
1 cuil. à soupe d'huile d'olive vierge extra
75 g de feta émiettée
3 cuil. à soupe de yaourt à la grecque nature
2 cuil. à soupe de mayonnaise
1 gousse d'ail finement hachée
½ cuil. à café d'origan séché

TARTINE

4 tranches de pain de campagne
 de 2 cm d'épaisseur
huile d'olive vierge extra, pour le pain,
 plus un peu en filet
sel casher (ou gros sel), pour le pain
fleur de sel
poivre noir fraîchement moulu

1. **Préparer les tomates et la crème de feta :** préchauffer le four à 190 °C (th. 6-7). Tapisser une lèchefrite d'une feuille d'aluminium.

2. Y disposer les tomates, face coupée vers le haut. Dans un bol, mélanger le paprika, le poivre et ¼ de cuillerée à café de sel. Arroser les tomates d'un filet d'huile d'olive et les parsemer du mélange au paprika. Enfourner 50 minutes à 1 heure, jusqu'à ce que les jus bouillonnent et que les tomates soient très tendres et leur fond doré. Sortir le plat du four et laisser refroidir.

3. Dans un saladier, mélanger délicatement la feta, le yaourt, la mayonnaise, l'ail, l'origan et le ¼ de cuillerée à café de sel restant.

4. **Réaliser la tartine :** faire griller le pain selon les conseils des pages 7 et 8. Garnir chaque tranche de pain d'1 généreuse cuillerée à soupe de crème de feta. Ajouter ½ tomate, arroser d'huile d'olive et saupoudrer d'1 pincée de fleur de sel et d'un peu de poivre avant de servir.

TARTINE AU STEAK À L'AMÉRICAINE

Pour 4 personnes

Les chefs américains ont une prédilection toute particulière pour le *patty melt*, un plat américain typique composé d'un steak garni d'oignons caramélisés et de fromage suisse fondu, puis pris entre deux tranches de pain de seigle beurrées et grillées. Ici, le *patty melt* est revisité sous la forme d'une tartine. Des graines de cumin torréfiées et moulues apportent un goût unique au steak, mais si vous n'avez pas le temps, ne les grillez pas. En toute honnêteté cependant, cette opération, qui ne prend qu'1 ou 2 minutes, vaut vraiment le détour.

STEAK ET OIGNONS

1 cuil. à soupe de sauce Worcestershire
2 cuil. à café de moutarde de Dijon
2¼ cuil. à café de sel casher
1 cuil. à café de graines de cumin grillées et finement moulues
½ cuil. à café de poivre noir fraîchement moulu
¼ de cuil. à café d'ail en poudre
450 g de faux-filet haché
30 g de beurre doux
1 oignon jaune coupé en deux et finement émincé

TARTINE

4 tranches de pain de seigle de 2 cm d'épaisseur
3 cuil. à soupe de mayonnaise, pour le pain
sel casher (ou gros sel), pour le pain
110 g de gruyère ou de fromage suisse râpé (ou 8 tranches de l'un de ces fromages)

1. **Préparer le steak et les oignons :** dans un bol, fouetter la sauce Worcestershire avec la moutarde, 1¼ cuillerée à café de sel, le cumin, le poivre et l'ail en poudre. Ajouter la viande et mélanger délicatement pour bien l'enrober de sauce. Diviser la préparation en 4 portions égales et les façonner en steaks d'1,25 cm d'épaisseur.

2. Dans une grande poêle, faire fondre le beurre à feu moyen-vif. Ajouter l'oignon et la cuillerée à café de sel restante et cuire 6 à 8 minutes, en remuant souvent, jusqu'à ce qu'il soit tendre et doré. Réserver sur une assiette.

3. Dans la sauteuse, cuire les steaks 5 à 6 minutes en les retournant une fois, jusqu'à ce qu'ils soient uniformément dorés et à point.

4. **Réaliser la tartine :** tartiner une face de chaque tartine de mayonnaise et saler. Faire griller le pain au four ou le frire à la poêle selon les conseils des pages 7 à 8 – dans le second cas, il est inutile de faire fondre du beurre ou d'ajouter de l'huile dans la poêle avant d'y mettre le pain, car la mayonnaise suffit à obtenir une tartine dorée. Disposer un steak sur chaque tranche de pain et le parsemer de fromage. Préchauffer le gril du four à feu vif et y faire griller les tartines 2 à 3 minutes, jusqu'à ce que le fromage soit fondu et doré. Ajouter un peu d'oignons frits sur le fromage, puis servir.

SMOREBROD AU ROSBIF, RÉMOULADE ET OIGNONS FRITS

Pour 4 personnes (il restera environ 15 cl de rémoulade)

Chaud/froid, croustillant/crémeux, doux/acide : ce sont les contrastes du classique *smorebrod*, une tartine garnie de rosbif, de sauce rémoulade et d'oignons frits. La rémoulade, semblable à la sauce tartare avec de la moutarde en plus, doit sa teinte jaune au curcuma ou au curry en poudre. Je préfère la première épice ; si vous êtes un amateur de cuisine indienne en revanche, optez pour le curry.

RÉMOULADE

15 cl de mayonnaise
1 échalote finement émincée
1 cuil. à soupe de moutarde en grains
1 cuil. à soupe de jus de citron frais
1 cuil. à soupe de persil plat finement haché
1 cuil. à soupe de câpres égouttées, rincées et grossièrement hachées
1 cuil. à soupe de cornichons grossièrement hachés
¼ de cuil. à café de curcuma ou de curry en poudre
¼ de cuil. à café de sel casher

TARTINE

4 tranches de pain de seigle ou de pumpernickel de 2 cm d'épaisseur
huile d'olive vierge extra, pour le pain
sel casher (ou gros sel), pour le pain
environ 1 l d'huile de colza
4 cuil. à soupe de farine
¼ de cuil. à café de poivre noir fraîchement moulu
1 gros oignon jaune coupé en rondelles de 0,5 cm d'épaisseur, anneaux séparés
12 tranches de rosbif
persil plat frais, grossièrement ciselé

1. **Préparer la rémoulade :** dans un bol, fouetter la mayonnaise, l'échalote, la moutarde, le jus de citron, le persil, les câpres, les cornichons, le curcuma et le sel. Couvrir et réserver au frais.

2. **Réaliser la tartine :** faire griller le pain selon les conseils des pages 7 et 8.

3. Dans une casserole, verser de l'huile de colza sur 5 à 7,5 cm de hauteur. Chauffer l'huile à 180 °C ou jusqu'à ce qu'un morceau de pain brunisse en 30 secondes. Dans un saladier, mélanger la farine, ¼ de cuillerée à café de sel et le poivre. Y plonger les anneaux d'oignons et les enrober du mélange. Frire les oignons par petites quantités, 4 à 5 minutes par bain, en remuant de temps à autre à l'aide de baguettes ou d'une écumoire, jusqu'à ce qu'ils soient dorés et croustillants. Veiller à ce que l'huile atteigne de nouveau 180 °C avant de faire frire le bain suivant. À l'aide d'une écumoire ou d'une araignée, transférer les oignons sur une assiette tapissée de papier absorbant et les assaisonner d'1 pincée de sel.

4. Garnir chaque tranche de pain de 3 tranches de rosbif, ajouter 1 ou 2 généreuses cuillerées à soupe de rémoulade, puis des oignons frits. Parsemer de persil et servir.

TARTINE AUX CRANBERRIES

Pour 4 personnes

À mi-chemin entre le pain perdu et le gâteau renversé, cette tartine absolument délicieuse permet en plus d'utiliser le pain rassis qui traîne dans la cuisine. On peut réaliser la garniture avec un seul fruit – les cranberries sont parfaites, surtout pour un jour de fête, mais l'ananas, la poire et le coing conviennent également à merveille.

6 tranches de pain de campagne, de brioche ou de pain challah rassis, de 2 cm d'épaisseur
115 g de beurre doux ramolli, plus un peu pour le pain
150 g de cassonade
65 g de cerneaux de noix de pécan
150 g de cranberries fraîches ou surgelées
15 cl de crème fraîche épaisse
2 jaunes d'œufs
1 cuil. à soupe de sucre cristal
1 cuil. à café d'extrait de vanille
⅛ de cuil. à café de sel casher

1. Si vos tranches de pain sont longues et ne rentrent pas dans un moule à gâteau ou un plat à four de 23 cm, coupez-les en deux en biais – en fonction du type de pain que vous utilisez.

2. Préchauffer le gril du four à feu vif. Faire griller le pain en suivant les instructions de la page 7. Réserver.

3. Préchauffer le four à 190 °C (th. 6-7).

4. Dans un bol, mélanger le beurre et la cassonade jusqu'à obtention d'un mélange crémeux et homogène. Au fond d'un moule à gâteau rond ou carré de 23 cm, étaler cette préparation. Y déposer les cerneaux de noix de pécan, face arrondie contre le plat, puis ajouter les cranberries.

5. Dans un bol, fouetter la crème avec les jaunes d'œufs, le sucre cristal, la vanille et le sel. Y tremper les tranches de pain des deux côtés, jusqu'à ce qu'elles n'absorbent plus le mélange. Dans le plat, disposer les tartines en une seule couche. Napper du mélange à la crème restant. Enfourner 20 à 25 minutes, jusqu'à ce que le pain soit croustillant aux bords et sec sur toute la surface et que les cranberries aient éclaté.

6. Sortir le plat du four, laisser refroidir 5 minutes, puis renverser délicatement le plat sur une grande assiette. Couper en morceaux et servir.

TARTINE KIWI-CITRONNELLE À LA CRÈME MIELLÉE

Pour 4 personnes

Le kiwi agit comme une séance de luminothérapie en plein cœur du paysage monotone de l'hiver. Un sirop de citronnelle (voir Tartine à la glace coco et au sucre caramélisé, p. 113) rehausse encore sa teinte vive. J'adore associer ce dessert à une crème fouettée au miel et enrichie de yaourt à la grecque. Pour le petit déjeuner, oubliez la crème fouettée et contentez-vous de yaourt ou de crème fraîche et d'un filet de miel, puis remplacez les graines de pavot grillées par du granola.

KIWI

4 kiwis épluchés et coupés en petits morceaux
2 cuil. à soupe de Sirop de citronnelle (voir p. 113)

TARTINE

4 tranches de pain de campagne de 2 cm d'épaisseur
beurre doux ramolli, pour le pain
8 cl de crème fraîche épaisse
2 cuil. à soupe de miel
8 cl de yaourt à la grecque nature
2 cuil. à café de graines de pavot

1. **Préparer le kiwi :** mélanger les morceaux de kiwi et 1 cuillerée à soupe de sirop de citronnelle dans un bol et réserver.

2. **Réaliser la tartine :** faire griller le pain selon les conseils des pages 7 et 8, puis laisser refroidir légèrement.

3. À l'aide d'un fouet manuel, d'un robot pâtissier équipé du fouet ou d'un batteur électrique, battre la crème en chantilly ferme. Toujours en fouettant, incorporer le miel, puis le yaourt.

4. Dans une petite poêle, faire griller les graines de pavot à feu moyen 30 secondes à 1 minute ou jusqu'à ce qu'elles prennent un léger goût de noisette. Les verser dans un bol.

5. Garnir chaque tartine de morceaux de kiwi. Napper d'1 cuillerée de crème fouettée au miel et parsemer de graines de pavot. Servir.

TARTINE AU BALCHAO ET AU HOMARD ÉPICÉ

San Francisco | Pour 4 personnes

Le *balchao* est une recette originaire de l'île de Goa, au large de la côte ouest de l'Inde. Elle se compose de vinaigre, de pain, de piments et de tomates – uniquement des ingrédients du Nouveau monde apportés en Inde par la colonisation. Chef à l'*American Masala* de San Francisco, Suvir Saran ajoute à la recette traditionnelle des queues de homards marinées pour lui donner une touche plus sophistiquée. La sauce est très relevée – prudence si vous avez le palais sensible !

BALCHAO

2 queues de homards (environ 450 g, avec la carapace), coupées en deux dans la longueur
le jus d'½ citron jaune ou vert
2 cuil. à café de sel casher
¼ de cuil. à café de piment de Cayenne
1½ cuil. à soupe d'huile de colza
6 feuilles de curry fraîches déchirées (facultatif)
3 piments rouges séchés
¾ de cuil. à café de graines de cumin
2 piments verts frais et piquants (serrano ou thaï), finement hachés et épépinés
1 oignon rouge finement émincé
1½ cuil. à café de sucre en poudre
1½ cuil. à café de vinaigre de vin blanc
20 cl de tomates concassées en conserve
2 cuil. à soupe de crème fraîche épaisse
15 g de beurre doux

TARTINE

4 tranches de pain (brioché de préférence) de 2 cm d'épaisseur
beurre doux ramolli, pour le pain

1. **Préparer le *balchao* :** sur une grande assiette, poser les queues de homards. Dans un bol, mélanger le jus de citron, 1 cuillerée à café de sel et le piment de Cayenne. Badigeonner le mélange sur la face coupée de chaque queue de homard. Réserver au frais.

2. Dans une casserole suffisamment grande pour contenir 4 demi-queues de homards en une seule couche, mélanger l'huile avec les feuilles de curry, les piments séchés et les graines de cumin. Cuire à feu moyen-vif 2 minutes, en remuant souvent, jusqu'à ce que le cumin dore. Ajouter le piment et prolonger la cuisson 1 minute. Quand il commence à dorer, ajouter l'oignon et la cuillerée à café de sel restante. Cuire encore 7 à 10 minutes, en remuant souvent, jusqu'à ce que l'oignon soit doré et collant. S'il commence à adhérer à la casserole, ajouter un peu d'eau, mélanger et gratter les sucs de cuisson. Incorporer le sucre et le vinaigre, cuire 1 minute, puis ajouter les tomates et cuire encore 4 minutes, jusqu'à obtention d'une consistance épaisse.

3. Déposer les queues de homards dans la sauce, face coupée vers le bas et les cuire 5 à 6 minutes, jusqu'à ce que la chair soit opaque. Transférer les queues sur une assiette et les décortiquer. Ajouter la crème et le beurre à la sauce, remettre la chair de homard et cuire à feu doux 1 à 2 minutes ou jusqu'à ce qu'elle soit bien chaude. Retirer du feu.

4. **Réaliser la tartine :** faire griller le pain selon les conseils des pages 7 et 8. Garnir chaque tranche d'1 demi-queue de homard, napper de sauce et servir.

TARTINE AU BŒUF HACHÉ

Londres | Pour 4 personnes

Avec son restaurant londonien, le *St. John*, Fergus Henderson a provoqué une véritable onde de choc chez les chefs du monde entier en remettant à l'honneur rognons, langues, pieds et autres abats. Pour cette recette, il trempe le pain dans le gras et les jus de cuisson d'un rôti, puis le garnit de bœuf haché mijoté avec des carottes, des poireaux et des oignons. Même si, selon lui, l'absence de petits pois risque de provoquer un débat gastronomique d'importance chez les puristes, il n'hésite pas à sauter le pas – et, pour enfoncer le clou, ose même ajouter du vin à la préparation !

BŒUF HACHÉ

1 cuil. à soupe d'huile d'olive vierge extra
1 oignon jaune coupé en deux et émincé
1 poireau, blanc et vert clair uniquement, coupé en deux dans la longueur et finement émincé en biseau
1 carotte coupée en deux dans la longueur et finement émincée en biseau
4 gousses d'ail finement hachées
910 g de bœuf haché à 20 % de matière grasse
2 tomates olivettes entières en conserve ou 6 cl de tomates concasées en conserve
30 g de flocons d'avoine
2 cuil. à soupe de sauce Worcestershire
35 cl de vin rouge sec
6 cl à 15 cl de bouillon de volaille (facultatif)
1 cuil. à café de sel de mer fin
½ cuil. à café de poivre noir fraîchement moulu

TARTINE

4 tranches de pain de mie ou de pain de 2 cm d'épaisseur
4 cuil. à soupe de graisse de bœuf ou de jus de cuisson provenant d'un rôti (ou 1 noix de beurre ramolli)

1. **Préparer le bœuf haché :** dans une sauteuse, chauffer l'huile à feu moyen-vif 2 minutes. Réduire à feu moyen et y faire revenir l'oignon, le poireau, la carotte et l'ail 5 à 6 minutes, en remuant souvent. Émietter la viande et la mélanger aux légumes. Cuire 8 à 10 minutes, en remuant souvent, jusqu'à ce que le bœuf perde sa teinte rosée. Au-dessus de la sauteuse, écraser les tomates entières entre les mains. Toujours en remuant, ajouter les flocons d'avoine, puis la sauce Worcestershire et le vin. La sauce doit être épaisse, mais toujours juteuse ; si elle est trop sèche, ajouter un peu de bouillon de volaille. Saler et poivrer, réduire à feu doux et laisser cuire 1 h 30 à 2 heures, en remuant de temps à autre et en ajoutant du bouillon si nécessaire, jusqu'à ce qu'elle soit riche et onctueuse et que le gras se sépare de la viande et reste à la surface.

2. **Réaliser la tartine :** faire griller le pain selon les conseils des pages 7 et 8. Si le pain a été grillé au four, laisser ce dernier allumé. Dans le cas contraire, placer une grille dans le tiers supérieur du four et le préchauffer à feu vif. Tartiner une face de chaque tranche de pain de gras du bœuf, puis les poser sur une plaque de cuisson tapissée d'une feuille d'aluminium et les glisser sous le gril 1 à 2 minutes, jusqu'à ce qu'elles bouillonnent. Garnir chaque tartine de bœuf haché et servir.

PRINTEMPS

TARTINE AU BEURRE DE PARMESAN, ŒUF AU PLAT ET ASPERGES

Pour 4 personnes

Du beurre mélangé à un peu de parmesan et d'ail en poudre fait de cette tartine un mets de choix pour un dîner sur le pouce. Pour ma part, je préfère les asperges épaisses, car même quand elles sont grillées, l'intérieur reste moelleux. Si vous n'en trouvez que des fines, ne les grillez pas, car elles risquent de durcir. Au lieu de cela, enrobez-les d'huile d'olive dans une sauteuse chaude, salez et poivrez. Faites-les sauter quelques minutes en remuant souvent la sauteuse.

BEURRE DE PARMESAN

45 g de beurre doux ramolli
60 g de parmesan finement râpé
¾ de cuil. à café d'ail en poudre
¼ de cuil. à café de sel casher

TARTINE

12 asperges coupées en biseau
1 cuil. à soupe d'huile d'olive vierge extra
sel casher
poivre noir fraîchement moulu
4 tranches de pain de campagne italien de 2 cm d'épaisseur
15 g de beurre doux
4 œufs
flocons de piment rouge
fleur de sel

1. **Préparer le beurre :** dans un bol, mélanger le beurre, le parmesan, l'ail en poudre et le sel, jusqu'à obtention d'une pâte.

2. **Réaliser la tartine :** placer une grille dans le tiers supérieur du four et préchauffer le gril à feu vif. Tapisser une lèchefrite d'une feuille d'aluminium.

3. Y déposer les asperges, les arroser d'huile et les saupoudrer de sel et de poivre. Remuer la plaque pour enrober les asperges de l'assaisonnement, puis les griller 6 à 8 minutes, en secouant la plaque en cours de cuisson.

4. Étaler du beurre au parmesan sur les tranches de pain. Les faire griller au four, selon les conseils des pages 7 et 8. Déposer les asperges sur les tartines.

5. Dans une grande sauteuse antiadhésive, faire fondre le beurre à feu moyen-vif. Y casser les œufs et les cuire 3 à 4 minutes, jusqu'à ce que les blancs soient pris et les jaunes encore coulants. Déposer 1 œuf au plat sur chaque tartine aux asperges. Parsemer de flocons de piment rouge et de quelques pincées de fleur de sel, poivrer et servir.

TARTINE AU PESTO DE POIREAUX SAUVAGES, BURRATA ET POIVRONS

Pour 4 personnes (soit 35 cl de pesto)

Avec leur petit goût aillé, les poireaux sauvages donnent un pesto délicieux - une idée que je dois à mon ami, le chef new-yorkais Matt Weingarten. Dans cette recette, je remplace le duo pignons de pin-basilic du pesto traditionnel par des pistaches torréfiées et de la menthe séchée au four micro-ondes. Comparée au séchage au four, la déshydratation au micro-ondes préserve davantage le parfum et l'arôme des herbes aromatiques. Avec un bocal de ce pesto dans votre réfrigérateur, vous pourrez transformer n'importe quel plat banal en un mets divin - que ce soient des œufs brouillés, des pâtes ou encore un simple sandwich au rôti de bœuf. Si vous ne trouvez pas de poireaux sauvages, remplacez-les par 225 g de jeunes oignons.

PESTO

30 feuilles de menthe fraîche
60 g de pistaches non salées
170 g de poireaux sauvages,
le vert séparé des bulbes, racines ôtées
120 g de pecorino romano
finement râpé
le zeste finement râpé d'1 citron
1 cuil. à café de sel casher,
et un peu plus si nécessaire
15 cl d'huile d'olive vierge extra
½ citron

TARTINE

4 tranches de pain de campagne
de 2 cm d'épaisseur
huile d'olive vierge extra pour le pain,
plus un peu pour servir
fleur de sel
poivrons grillés finement émincés
225 g de burrata

1. **Préparer le pesto :** préchauffer le four à 180 °C (th. 6). Dans une lèchefrite, disposer les pistaches et les griller au four 4 à 6 minutes, jusqu'à ce qu'elles soient grillées en surface. Les sortir du four et les laisser refroidir sur une assiette. Pendant ce temps, sur une autre assiette, disposer les feuilles de menthe en une seule couche et les sécher au four micro-ondes 30 secondes à 1 minute, jusqu'à ce qu'elles soient sèches et craquantes. Laisser refroidir.

2. Dans le bol d'un mixeur, mettre les poireaux sauvages,le pecorino, la menthe séchée, le zeste de citron, le sel et les pistaches, puis mixer grossièrement. Verser l'huile en filet, et mixer de nouveau, jusqu'à obtention d'un mélange homogène. Ajouter le jus de citron et un peu plus de sel, si nécessaire.

3. **Réaliser la tartine :** faire griller les tranches de pain selon les conseils des pages 7 et 8. Tartiner généreusement chaque tartine de pesto et les garnir de quelques tranches de poivrons grillés et de morceaux de burrata. Arroser d'un filet d'huile d'olive et parsemer de fleur de sel. Servir.

TARTINE AU MUHAMMARA ET CAROTTES RÔTIES AU CUMIN

Pour 4 personnes (il restera environ 170 g de muhammara)

Cette tartine rend hommage au chef Dan Kluger (voir p. 87) et à sa salade d'avocats et de carottes au cumin qui a conquis le Tout-New York. Ici, les carottes rôties au miel et au cumin sont agrémentées de muhammara, une pâte à tartiner à la saveur acidulée composée de noix et de mélasse de grenade aigre-douce. Le reste de muhammara fera un dip excellent pour les légumes ou les frites.

CAROTTES ET MUHAMMARA

6 carottes coupées en deux dans la longueur
3 cuil. à soupe d'huile d'olive vierge extra
1 cuil. à soupe de miel
1 cuil. à café de cumin moulu
1½ cuil. à café de sel casher
2 gros poivrons rouges
1 gousse d'ail avec la peau
100 g de noix grillées
1½ cuil. à soupe de mélasse de grenade
¼ de cuil. à café de paprika fumé ou fort
¼ de cuil. à café de poivre noir fraîchement moulu

TARTINE

4 tranches de pain au sésame de 2 cm d'épaisseur
huile d'olive vierge extra, pour le pain
fleur de sel
½ citron
miel
2 cuil. à soupe de graines de tournesol grillées et salées
2 cuil. à soupe de feuilles de menthe fraîche ciselées

1. **Préparer les carottes :** placer une grille dans le tiers supérieur du four et une autre dans le tiers inférieur. Préchauffer le four à 200 °C (th. 6-7). Tapisser une plaque de cuisson d'une feuille d'aluminium.

2. Sur la plaque, placer les carottes et les arroser de 2 cuillerées à soupe d'huile d'olive et de miel, puis parsemer de cumin et d'½ cuillerée à café de sel. Avec les mains, enrober uniformément les carottes de ce mélange. Enfourner 15 minutes. Secouer la plaque et les faire rôtir encore 10 à 15 minutes, jusqu'à ce qu'elles soient dorées et moelleuses. Sortir la plaque du four et réserver.

3. **Préparer le muhammara :** préchauffer le gril du four à feu vif. Sur la plaque tapissée de la même feuille d'aluminium, disposer les poivrons et l'ail et enfourner 12 à 15 minutes sur la grille placée dans le tiers supérieur du four, jusqu'à ce que les poivrons soient uniformément noircis et que l'ail soit bien doré. Transférer les légumes dans un saladier, couvrir et laisser reposer 20 minutes.

4. Quand les poivrons sont suffisamment froids pour être manipulés, les éplucher, retirer la tige et les épépiner. Éplucher l'ail et le mettre dans le bol d'un mixeur avec les poivrons rôtis, les noix, la mélasse de grenade, la cuillerée à soupe d'huile d'olive restante, la cuillerée à café de sel restante, le paprika et le poivre. Mixer par impulsions d'1 seconde à 5 ou 6 reprises, jusqu'à obtention d'un mélange homogène contenant des morceaux.

5. **Réaliser la tartine :** faire griller le pain au four selon les conseils de la page 7. Étaler de généreuses cuillerées de muhammara sur le pain et ajouter les carottes. Arroser de jus de citron et d'un filet de miel. Parsemer de fleur de sel, de graines de tournesol et de menthe, puis servir.

TARTINE À L'ÉCRASÉE DE FÈVES ET AUX CREVETTES

Pour 4 personnes

Avec leur goût sucré et leur vert intense, les fèves sont l'essence même du printemps. Leur préparation nécessite un peu de travail, mais les meilleures choses demandent parfois un peu d'huile de coude ! La douceur de l'écrasée de fèves est magnifiquement rehaussée par les crevettes pochées et la saveur de l'estragon ; si vous n'en avez pas, remplacez-le par de la menthe fraîche. Et si vous avez peu de temps, optez pour des petits pois frais ou surgelés qui eux, ne demandent aucun épluchage !

BEURRE D'ESTRAGON ET FÈVES

60 g de beurre doux ramolli
1 cuil. à soupe de feuilles d'estragon ciselées
2 cuil. à café de sel casher
225 g de fèves décortiquées
(soit 910 g à 1,1 kg de fèves dans leurs gousses)
1½ cuil. à soupe d'huile d'olive vierge extra
½ oignon doux émincé
2 cuil. à soupe de crème fraîche épaisse

TARTINE

225 g de grosses crevettes amaebi décortiquées, déveinées et coupées en deux dans la longueur
sel casher (ou gros sel)
le jus d'½ citron
4 tranches de pain de campagne de 2 cm d'épaisseur
fleur de sel
quelques poignées de cresson ou de pousses d'épinards

1. **Préparer le beurre d'estragon :** dans un bol, mélanger le beurre, l'estragon et 1 pincée de sel casher. Réserver.

2. **Préparer les fèves :** porter une petite casserole d'eau à ébullition. Ajouter 1 cuillerée à café de sel, puis y blanchir les fèves 1 minute. Égoutter et les plonger dans un bol d'eau glacée. Quand les fèves sont froides, les éplucher en les pressant une à une entre l'index et le pouce. Les mettre dans un bol – si l'on utilise des petits pois, passer directement à l'étape suivante.

3. Dans une poêle à feu moyen, chauffer l'huile. Ajouter l'oignon et ½ cuillerée à café de sel et le cuire 5 à 6 minutes, en remuant de temps à autre, jusqu'à ce qu'il soit tendre, mais non coloré. Ajouter les fèves et prolonger la cuisson 3 à 5 minutes, jusqu'à ce qu'elles soient tendres. Transférer dans le bol d'un mixeur, ajouter la crème, 1 cuillerée à soupe de beurre d'estragon et le ¼ de cuillerée à café de sel restant. Réduire en une purée fine.

4. Dans une poêle à feu moyen, faire fondre le beurre. Y cuire les crevettes 1 minute, en les arrosant de beurre. Saler, retourner les crevettes et cuire encore 1 minute. Dans un saladier, verser les crevettes et les enrober de jus de citron.

5. **Réaliser la tartine :** tartiner les tranches de pain du beurre d'estragon restant et les parsemer de fleur de sel. Les faire griller au four ou au barbecue selon les conseils des pages 7 et 8. Garnir chaque tartine d'une couche généreuse d'écrasée de fèves. Ajouter le cresson dans le saladier de crevettes, bien mélanger, puis répartir le mélange sur les tranches de pain. Parsemer de fleur de sel et servir.

TARTINE À LA SALADE D'ŒUFS

Pour 4 personnes

Un trait de marinade pour cornichons... Voilà le petit truc qui donne à ma salade d'œufs son *umami*. J'aime la salade d'œufs lorsqu'elle contient quantité d'ingrédients tels que du céleri ou des radis croustillants, des herbes fraîches, des jeunes oignons, de la moutarde de Dijon, des cornichons hachés et juste assez de mayonnaise pour obtenir une sauce crémeuse. J'en fais toujours un peu plus, pour un en-cas futur ou un déjeuner – dans ce cas, je l'accompagne de chips tortillas.

SALADE D'ŒUFS

5 œufs durs écalés et grossièrement hachés
3 cuil. à soupe de mayonnaise
6 cl de cornichons au vinaigre hachés, plus 2 cuillerées à soupe de la marinade
2 jeunes oignons, parties vert clair et blanche uniquement, finement émincés
1 branche de céleri finement hachée
1 cuil. à soupe d'herbes fraîches à feuilles tendres finement ciselées (basilic, cerfeuil, aneth, persil ou estragon)
¼ de cuil. à café de moutarde de Dijon
½ cuil. à café de sel casher
½ cuil. à café de poivre noir fraîchement moulu

TARTINE

4 tranches de pain de campagne de 2 cm d'épaisseur
huile d'olive vierge extra, pour le pain
sel casher (ou gros sel), pour le pain
60 g de pousses de laitue ou de roquette

1. **Préparer la salade :** dans un saladier, verser les œufs hachés. Ajouter la mayonnaise et les écraser délicatement à la fourchette, juste assez pour que la mayonnaise commence à prendre la teinte des jaunes d'œufs – le mélange doit encore contenir de nombreux morceaux de blancs. Incorporer délicatement les cornichons et la marinade, les jeunes oignons, le céleri, les herbes, la moutarde, le sel et le poivre.

2. **Réaliser la tartine :** faire griller les tranches de pain selon les conseils des pages 7 et 8. Les laisser refroidir quelques minutes avant de les garnir. Répartir les pousses de laitue ou de roquette sur les tartines, puis ajouter la salade d'œufs et les herbes.

TARTINE À L'AGNEAU ÉPICÉ ET AÏOLI D'HARISSA

Pour 4 personnes

Ficelée en rôti, la viande d'agneau est généralement réservée aux plats de fête. Néanmoins, si vous enlevez la ficelle, vous obtenez un morceau merveilleusement tendre et fondant, à la cuisson à la fois simple et rapide. Sur une tartine, l'agneau coupé en tranches est délicieux accompagné d'un aïoli d'harissa et le tout forme un plat complet tout à fait rassasiant. Je cuis souvent l'agneau au four, mais il est également très bon grillé au barbecue.

AGNEAU ÉPICÉ

1 cuil. à café de piment en poudre
1 cuil. à café de paprika doux
¾ de cuil. à café de coriandre moulue
¾ de cuil. à café de cumin moulu
1 cuil. à café de sel casher
¼ de cuil. à café de poivre noir fraîchement moulu
450 g de côtelettes (ou de jarret) d'agneau, désossées et dégraissées, coupées en dés de 2 cm d'épaisseur (si vous utilisez du jarret, retirez également la membrane fibreuse)
1 cuil. à soupe d'huile de colza
1 cuil. à soupe de miel
1 cuil. à soupe de ketchup

TARTINE

4 tranches de pain de campagne de 2 cm d'épaisseur
huile d'olive vierge extra, pour le pain
sel casher (ou gros sel)
15 cl de mayonnaise
1 cuil. à soupe de pâte d'harissa
2 cuil. à soupe de ciboulette fraîche ou de jeunes oignons finement émincés
fleur de sel

1. **Cuire la viande :** dans un bol, mélanger le piment en poudre, le paprika, la coriandre, le cumin, le sel et le poivre. Frotter la viande de ce mélange, puis la placer sur une lèchefrite tapissée d'une feuille d'aluminium et la réserver au frais 1 heure ou toute une nuit. Dans un autre bol, mélanger le miel et le ketchup. Réserver.

2. Glisser une grille dans le tiers supérieur du four et préchauffer celui-ci à feu vif. Frotter la viande d'huile et enfourner sous le gril 6 à 7 minutes, jusqu'à ce qu'elle soit dorée et grillée. Badigeonner la face dorée du mélange miel-ketchup et la griller 30 secondes à 1 minute. Retourner l'agneau et faire griller l'autre face 4 à 5 minutes, jusqu'à ce que la température interne de la viande atteigne 61 °C à 63 °C pour une cuisson à point. Badigeonner le mélange miel-ketchup restant sur le dessus de l'agneau et repasser sous le gril 30 secondes à 1 minute. Sortir la viande du four (en laissant le gril allumé) et la réserver 10 minutes sur une assiette. La poser ensuite sur une planche à découper et la couper en tranches fines, en travers de ses fibres et en suivant un angle de 45 degrés. Enrober les tranches d'agneau des jus de cuisson recueillis.

3. **Réaliser la tartine :** faire griller le pain au four ou au barbecue selon les conseils des pages 7 et 8. Dans un bol, mélanger la mayonnaise, l'harissa et la ciboulette ou les jeunes oignons. Tartiner le pain de cet aïoli, puis les garnir de tranches d'agneau. Parsemer de fleur de sel et servir.

TARTINE AUX FRIKADELLER ET CONCOMBRE MARINÉ

Pour 4 personnes (il restera de la garniture)

Bien que les boulettes de viande italiennes soient plus connues, les Scandinaves sont également très friands de ce plat, accompagné de pain de seigle et de beaucoup de beurre. Ce plat danois mêle avec bonheur de la chapelure de pain de seigle, du porc et du bœuf hachés et de l'aneth frais, le tout relevé par du piment de la Jamaïque. Les Danois ne plaisantent pas quand il s'agit de beurre ; ne lésinez pas sur la quantité !

CONCOMBRE ET FRIKADELLER

1 concombre émincé en rondelles biseautées
2¼ cuil. à café de sel casher
¼ de cuil. à café de sucre en poudre
2 cuil. à soupe de vinaigre blanc
3 cuil. à soupe d'aneth frais finement ciselé
⅓ de pain de seigle (garder le reste pour les tartines) coupé en dés de 2,5 cm de côté
6 cl de lait entier
1 œuf
½ cuil. à café de poivre noir fraîchement moulu
¼ de cuil. à café de piment de la Jamaïque
1 oignon jaune grossièrement râpé
1 petite échalote finement émincée
225 g de faux-filet de bœuf haché
225 g de porc haché
30 g de beurre doux
2 cuil. à soupe d'huile de colza

TARTINE

4 tranches de pain de seigle de 2 cm d'épaisseur
beurre doux ramolli
fleur de sel
moutarde de Dijon à l'ancienne

1. **Préparer le concombre :** dans un saladier, mélanger le concombre, 1¼ cuillerée à café de sel, le sucre, le vinaigre et 1 cuillerée d'aneth. Couvrir et placer au frais jusqu'au moment de servir.

2. **Préparer les *frikadeller* :** dans le bol d'un mixeur, réduire les dés de pain en chapelure. En prélever 60 g et réserver. Congeler la chapelure restante pour une utilisation ultérieure.

3. Dans un saladier, fouetter le lait, l'œuf, le poivre, le piment de la Jamaïque, les 2 cuillerées à soupe d'aneth restantes et 1 cuillerée à café de sel. Incorporer la chapelure réservée, puis l'oignon et l'échalote. Ajouter le porc et le bœuf hachés. Bien mélanger – la préparation obtenue doit être plus humide que des boulettes traditionnelles. Prélever 1½ cuillerée à soupe du mélange et façonner une boulette pas trop compacte et l'abaisser légèrement. Réserver sur une assiette et renouveler l'opération jusqu'à épuisement du mélange.

4. Dans une sauteuse à feu moyen-vif, faire fondre le beurre. Ajouter l'huile d'olive et y faire cuire la moitié des boulettes de viande à feu moyen 3 à 4 minutes par face, jusqu'à ce qu'elles soient dorées. Les transférer sur une assiette tapissée de papier absorbant et renouveler l'opération avec les boulettes restantes.

5. **Réaliser la tartine :** faire griller les tranches de pain selon les conseils des pages 7 et 8. Les parsemer de fleur de sel, puis les tartiner d'une généreuse couche de moutarde. Déposer quelques boulettes sur chaque tranche de pain, garnir de rondelles de concombre et servir.

TARTINE AU FROMAGE DE CHÈVRE ET NOIX CARAMÉLISÉES

Pour 4 personnes (il restera des noix caramélisées)

Mon amie Angela Miller dirige *Consider Bardwell*, une fromagerie extraordinaire installée dans le Vermont, aux États-Unis. Je me trouvais chez elle quand, par un matin glacial du début du printemps, son premier chevreau, nommé Darius, est né. Elle l'a nourri grâce à une petite bouteille remplie du lait de sa maman. C'est à ce moment que j'ai réalisé que chevreau + chèvre allaitante = beaucoup de lait de chèvre pour fabriquer du fromage. Bien sûr, on peut acheter du fromage de chèvre tout au long de l'année ; cependant, si l'on prend en compte que la majorité des chevreaux naissent au printemps, cela devient un produit saisonnier comme un autre.

NOIX CARAMÉLISÉES

75 g de cerneaux de noix
8 cl de sirop d'érable
2 cuil. à soupe de sirop de sucre roux (*golden syrup*)
¼ de cuil. à café de graines d'anis
1 pincée de sel casher

1. **Préparer les noix caramélisées :** glisser une grille dans le tiers supérieur du four et une autre au milieu, puis le préchauffer à 200 °C (th. 6-7). Disposer les noix sur une lèchefrite et les griller au milieu du four 7 à 8 minutes, jusqu'à ce qu'elles soient légèrement dorées. Les transférer sur une assiette et laisser refroidir.

2. Dans une casserole, mélanger le sirop d'érable, le sirop de sucre roux, les graines d'anis et le sel. Porter à ébullition à feu moyen-vif. Ajouter les noix grillées, réduire à feu doux-moyen et laisser mijoter 3 minutes, jusqu'à ce que les noix soient saturées de sucre. Retirer du feu et verser les noix dans un saladier résistant à la chaleur. Placées au frais, elles peuvent être conservées 1 semaine. Dans ce cas, les passer au four micro-ondes avant utilisation.

TARTINE

115 g de fromage de chèvre à température ambiante
3 cuil. à soupe de crème fraîche épaisse
1 pincée de sel casher
4 tranches de pain aux fruits frais et secs
beurre doux ramolli, pour le pain
fleur de sel

3. **Réaliser la tartine :** dans un saladier, écraser le fromage de chèvre à la fourchette. Incorporer 1 cuillerée à soupe de crème et, quand le mélange est homogène, faire de même avec les 2 cuillerées à soupe de crème restantes et le sel.

4. Faire griller les tranches de pain selon les conseils des pages 7 et 8. Étaler une couche généreuse de fromage de chèvre sur la face beurrée de chaque tranche de pain. Y déposer 1 ou 2 cuillerées de noix caramélisées et parsemer de fleur de sel. Servir.

TARTINE AUX FRAISES, RICOTTA FOUETTÉE À LA ROSE

Pour 4 personnes

L'idée de rôtir des fraises peut paraître étrange, surtout avec des fruits de fin de printemps qui n'attendent qu'une chose : être dévorés sitôt cueillis. Néanmoins, les soumettre à la chaleur du four permet d'obtenir de véritables bonbons de fraise au goût intense. Les fraises rôties sont délicieuses avec de la ricotta et de la crème fraîche fouettées en chantilly ; un trait d'eau de rose ajoute une subtile note florale.

FRAISES

450 g de fraises équeutées et coupées en deux
2 cuil. à soupe de sucre en poudre

TARTINE

250 g de ricotta
6 cl de crème fraîche épaisse
1 cuil. à soupe de sucre en poudre
2 cuil. à café d'eau de rose
4 tranches de pain de campagne italien
beurre doux ramolli, pour le pain
sel casher (ou gros sel)

1. **Rôtir les fraises :** préchauffer le four à 180 °C (th. 6). Tapisser une lèchefrite de papier sulfurisé.

2. Dans un saladier, mélanger les fraises et le sucre. Les disposer sur la lèchefrite, face coupée vers le haut, et enfourner environ 20 minutes, jusqu'à ce qu'elles soient tendres et juteuses. Les sortir du four et les verser dans le saladier pour les laisser refroidir. Placées au frais, les fraises peuvent être conservées 1 semaine.

3. **Réaliser la tartine :** dans un saladier, fouetter vigoureusement la ricotta, la crème fraîche, le sucre et l'eau de rose en chantilly souple, environ 30 secondes.

4. Faire griller les tranches de pain selon les conseils des pages 7 et 8. Les laisser refroidir quelques instants avant de les garnir. Déposer 1 cuillerée à soupe de ricotta fouettée sur chaque tartine et déposer les fraises sur le dessus, puis arroser du jus des fruits.

TARTINE AUX AMANDES ET FLEUR D'ORANGER

Pour 4 personnes

Connaissez-vous le *bostock* ? Il s'agit d'une brioche trempée dans un sirop aromatisé à l'amande et à la fleur d'oranger, garnie de crème d'amande et cuite jusqu'à présenter un aspect doré... la définition même de la gourmandise ! La subtile note florale est due au sirop aromatisé à l'eau de fleur d'oranger et à quelques gouttes d'extrait d'amande amère, le tout accentué par la crème d'amande. L'ensemble crée une garniture riche et gourmande. Il vous restera du sirop ; n'hésitez pas à le mélanger à du sirop d'érable pour accompagner des pancakes ou des gaufres.

CRÈME D'AMANDE

145 g d'amandes non salées (de préférence mondées)
70 g de sucre en poudre
45 g de beurre doux ramolli
1 œuf
le zeste finement râpé d'1 orange
½ cuil. à café d'extrait d'amande amère
½ cuil. à café de sel casher

TARTINE

100 g de sucre en poudre
1 cuil. à soupe de miel
1½ cuil. à soupe d'eau de fleur d'oranger
4 tranches de brioche ou de pain challah de 2 cm d'épaisseur, légèrement rassises
45 g de beurre doux ramolli
4 cuil. à soupe d'amandes effilées
sucre glace, pour servir

1. **Préparer la crème d'amande :** dans le bol d'un mixeur, réduire les amandes en poudre fine. Ajouter le sucre, le beurre, l'œuf, les zestes d'orange, l'extrait d'amande amère et le sel. Mixer jusqu'à obtention d'un mélange crémeux et homogène.

2. **Réaliser la tartine :** dans une petite casserole, mélanger 15 cl d'eau, le sucre et le miel. Porter à ébullition. Remuer de temps à autre jusqu'à dissolution du sucre, retirer du feu et laisser refroidir. Ajouter l'eau de fleur d'oranger.

3. Préchauffer le four à 200 °C (th. 6-7).

4. Beurrer une face des tranches de brioche ou de pain, puis les badigeonner de sirop à l'amande. Les garnir généreusement de crème d'amande sur 0,5 cm d'épaisseur. Les poser sur une plaque de cuisson, parsemer chacune d'1 cuillerée à soupe d'amandes et enfourner 12 à 15 minutes, jusqu'à ce que la garniture soit dorée. Sortir les tartines du four et les laisser refroidir quelques instants. Saupoudrer de sucre glace et servir.

TARTINE AU FROMAGE DE CHÈVRE ET PETITS POIS À LA MENTHE

New York | Pour 4 personnes (il restera de l'huile et des petits pois à la menthe)

C'est dans son formidable restaurant de Manhattan, le *ABC Kitchen*, que Dan Kluger a popularisé le concept de tartine. Sa tartine à la ricotta et au kabocha a en grande partie répandu la mode de la tartine sur la côte est américaine. Ici, le chef a choisi de mettre à l'honneur le printemps en proposant une écrasée de petits pois à la menthe relevée de piment jalapeño. L'ail est blanchi plusieurs fois dans une eau frémissante – une astuce de chef qui permet d'adoucir la saveur de l'ail cru.

ÉCRASÉE DE PETITS POIS

1 gousse d'ail pelée
40 g de feuilles de menthe fraîche
25 cl d'huile d'olive vierge extra
1 cuil. à soupe de sel casher, plus ¼ de cuil. à café
1 pincée de sucre en poudre
290 g de petits pois (de préférence frais)
½ piment jalapeño finement haché
(épépiné pour moins de piquant)

TARTINE

4 tranches de pain de campagne
d'1,25 cm d'épaisseur
huile d'olive vierge extra, pour le pain
115 g de fromage de chèvre frais
à température ambiante
le zeste finement râpé d'½ citron
fleur de sel et poivre noir fraîchement moulu

1. **Préparer l'écrasée de petits pois :** dans une petite casserole, mettre l'ail, couvrir d'eau froide à fleur et porter à ébullition. Égoutter et couvrir de nouveau d'eau froide à fleur. Porter de nouveau à ébullition, égoutter et renouveler l'opération une fois. Transférer l'ail blanchi dans le bol d'un mixeur.

2. Remplir la casserole d'eau froide, porter à ébullition et y plonger les feuilles de menthe. Les blanchir 10 secondes, puis les égoutter à l'aide d'une écumoire et les déposer dans un saladier d'eau glacée. Les sortir du saladier (ne pas jeter l'eau) et les égoutter sur du papier absorbant. Dans le bol du mixeur, mettre la menthe, puis ajouter l'huile d'olive. Mixer jusqu'à obtention d'un mélange très lisse, puis le verser dans un bol et déposer celui-ci dans le saladier d'eau glacée pour que l'huile refroidisse – veiller à ce que l'eau glacée ne pénètre pas dans le bol. Ainsi, elle restera d'un beau vert vif.

3. Remplir la casserole d'eau froide et porter à ébullition. Ajouter 1 cuillerée à soupe de sel, le sucre et les petits pois et cuire 2 minutes, jusqu'à ce que les légumes remontent à la surface (en goûter un – il doit être sucré et non farineux). Les égoutter et les verser dans un saladier d'eau glacée pour les refroidir, puis les égoutter sur du papier absorbant.

4. Dans le bol du mixeur, verser les petits pois, en réservant 60 g. Ajouter 6 cl d'huile à la menthe, le piment jalapeño et le ¼ de cuillerée à café de sel restant. Mixer grossièrement, transvaser dans un saladier et incorporer les petits pois réservés.

5. **Réaliser la tartine :** faire frire le pain à la poêle selon les conseils de la page 8. Étaler du fromage de chèvre sur chaque tartine. Ajouter l'écrasée de petits pois, puis parsemer de zestes de citron, de fleur de sel et de poivre. Arroser d'un filet d'huile d'olive et servir.

TARTINE AU FOIE HACHÉ, PÂTE DE PIMENT D'ALEP ET OIGNONS CARAMÉLISÉS

Londres | Pour 4 personnes (il restera du foie haché)

Avec *Honey & Co.*, restaurant-traiteur spécialisé dans les plats israéliens, Itamar Srulovich et Sarit Packer offrent au petit quartier londonien de Fitzrovia une cuisine tout droit venue d'Israël et du Moyen-Orient. Anciens élèves d'Ottolenghi, les deux chefs partagent ici leur recette de tartine au foie haché parfumé de pâte de piment d'Alep et d'un peu de cumin. Bien que l'inspiration de ce plat provienne de la cuisine d'Europe de l'Est et d'Afrique du Nord, le résultat lorgne plutôt du côté de la tradition culinaire juive. Et avec ces quantités, on pourrait nourrir un régiment !

FOIES DE POULET

30 g de beurre doux
2 cuil. à soupe d'huile végétale
1 gros oignon jaune finement émincé
1½ cuil. à café de sel casher
450 g de foies de poulet, dégraissés et essuyés
¼ de cuil. à café de poivre noir fraîchement moulu
1½ cuil. à soupe de cumin moulu
2 cuil. à soupe de pâte de piment d'Alep
(ou de pâte d'harissa)
le jus d'1 citron

TARTINE

4 tranches de pain de mie de 2 cm d'épaisseur
beurre doux ramolli, pour le pain
2 radis finement émincés
pousses de laitue
1 œuf dur écalé et finement émincé

1. **Préparer les foies de poulet :** dans une grande poêle, faire fondre 1 cuillerée à soupe de beurre à feu moyen-vif. Ajouter 1 cuillerée à soupe d'huile et chauffer 1 minute. Ajouter l'oignon et ¼ de cuillerée à café de sel et faire revenir 3 à 4 minutes, en remuant souvent, jusqu'à ce que l'oignon soit tendre. Réduire à feu doux-moyen et cuire encore 15 à 20 minutes, en remuant de temps à autre, jusqu'à ce que l'oignon soit bien doré. Transférer dans un saladier.

2. Assaisonner les foies de poulet de poivre et d'¼ de cuillerée à café de sel. Dans la poêle, chauffer une cuillerée à soupe de beurre, et la cuillerée d'huile restante à feu vif. Quand le beurre est fondu, y faire revenir les foies 4 à 5 minutes, en remuant de temps à autre, jusqu'à ce que l'extérieur devienne opaque. Parsemer de cumin, mélanger, puis ajouter la pâte de piment et le jus de citron. Prolonger la cuisson 2 à 3 minutes, jusqu'à ce que les foies soient rosés (et non rouges ou bruns) à cœur. Ajouter l'oignon et mélanger délicatement. Verser dans un saladier, couvrir et réserver au moins 2 heures au frais.

3. Sur une planche à découper, hacher grossièrement les foies et l'oignon, puis les transférer dans le saladier. Ajouter la cuillerée à café de sel restante et bien mélanger.

4. **Réaliser la tartine :** faire griller les tranches de pain selon les conseils des pages 7 et 8. Garnir chaque tartine de foie haché, de rondelles de radis, de feuilles de laitue et de rondelles d'œuf dur. Servir.

ÉTÉ

TARTINE AU MAÏS ET OIGNONS GRILLÉS, CRÈME À LA CORIANDRE

Pour 4 personnes

Avec leur forme élancée et leur teinte noircie, les jeunes oignons grillés sont faciles à réaliser ; en outre, déposés sur une tartine garnie, leur goût est fabuleux ! La crème à la coriandre, battue avec quantité de citron vert et de piment jalapeño, adoucit leur saveur, tandis que le maïs grillé, puis égrainé se charge d'apporter douceur et croquant. Les miettes de cotija, un fromage mexicain, équilibrent le plat ; si vous n'en trouvez pas, remplacez-le par de la ricotta salata ou de la feta.

CRÈME, OIGNONS NOUVEAUX ET MAÏS

15 cl de crème aigre
4 cuil. à soupe de feuilles de coriandre fraîches
40 g de cotija émietté
½ piment jalapeño grossièrement haché (épépiné pour moins de piquant)
le jus d'1 citron vert
1 cuil. à café de sel casher
4 cuil. à café d'huile d'olive vierge extra
8 jeunes oignons, extrémités coupées
2 épis de maïs frais, sans les feuilles

TARTINE

4 tranches de pain de campagne de 2 cm d'épaisseur
3 cuil. à soupe d'huile d'olive vierge extra
2 radis finement émincés
80 g de cotija émietté
1 citron vert coupé en quartiers
1 cuil. à café de piment de Cayenne

1. **Préparer la crème à la coriandre :** dans le bol d'un mixeur, réduire la crème aigre, la coriandre, le cotija, le piment jalapeño, le jus de citron vert et ½ cuillerée à café de sel en une purée lisse. Verser dans un bol, couvrir et placer au frais.

2. **Cuire les jeunes oignons et le maïs :** chauffer un barbecue ou le gril du four à feu vif. Arroser les oignons de 2 cuillerées à café d'huile, les saupoudrer d'¼ de cuillerée à café de sel et les cuire des deux côtés 4 à 5 minutes, jusqu'à ce qu'ils soient tendres et noircis. Les déposer sur une assiette. Badigeonner le maïs des 2 cuillerées à café d'huile restantes, l'assaisonner du ¼ de cuillerée à café de sel restant et le cuire uniformément 6 à 8 minutes, jusqu'à ce que les épis soient bien dorés, voire légèrement noircis. Quand le maïs est suffisamment refroidi pour être manipulé, l'égrainer.

3. **Réaliser la tartine :** arroser le pain d'huile d'olive. Le faire griller au barbecue en suivant les conseils de la page 8. Garnir chaque tartine de crème et de maïs, ajouter quelques jeunes oignons et les radis et parsemer de cotija émietté. Tremper une face de chaque quartier de citron vert dans le piment de Cayenne, les presser sur le pain et servir.

TARTINE AU BEURRE DE TOMATE

Pour 4 personnes (il restera du beurre de tomate)

Au plus fort de la saison, les tomates sont irrésistibles sur l'étal du marché. Quel que soit le soin que je mets à les ranger dans mon sac, quelques-unes d'entre elles trouvent toujours le moyen de finir écrasées tout au fond. Réaliser un beurre de tomate à base de tomates sautées et d'un beurre de qualité est un bon moyen d'utiliser celles qui sont écrabouillées. Parsemé d'une pincée de piment d'Espelette – ce piment rouge grossièrement haché à la saveur délicatement fumée et qui nous vient du Pays basque –, ou de furikake – un condiment japonais constitué de sel, de graines de sésame et de varech –, cette tartine est particulièrement goûteuse.

BEURRE DE TOMATE

1 cuil. à soupe d'huile d'olive vierge extra
1 grosse tomate épépinée et coupée en morceaux d'1,25 à 2 cm
½ cuil. à café de sel casher
225 g de beurre doux ramolli

TARTINE

4 tranches de pain de campagne de 2 cm d'épaisseur
huile d'olive vierge extra, pour le pain
sel casher, pour le pain
3 gros radis finement émincés
fleur de sel
piment d'Espelette ou furikake (facultatif)

1. **Préparer le beurre de tomate :** dans une grande poêle antiadhésive, chauffer l'huile d'olive à feu moyen-vif. Ajouter la tomate et le sel, puis cuire à feu doux-moyen 20 à 25 minutes, en remuant et en appuyant dessus de temps à autre, jusqu'à évaporation du liquide et obtention d'une pâte épaisse. Transférer la pâte de tomate sur une assiette et la laisser complètement refroidir.

2. Dans le bol d'un mixeur, verser la pâte, ajouter le beurre et mixer jusqu'à obtention d'un mélange homogène (il peut rester quelques fragments de peau de tomate). Déposer le beurre sur une grande feuille de papier sulfurisé et le rouler en un boudin de 30 cm de long – ou le tasser dans 1 ou 2 ramequins et couvrir de film alimentaire.

3. **Réaliser la tartine :** faire griller les tranches de pain selon les conseils des pages 7 et 8. Les laisser refroidir complètement.

4. Étaler une généreuse quantité de beurre de tomate sur chaque tartine, garnir de radis, puis parsemer de fleur de sel et, éventuellement, de piment. Le beurre restant peut être enveloppé de film alimentaire et roulé en boudin ; ainsi, il peut être conservé 2 semaines au réfrigérateur ou jusqu'à 3 mois au congélateur.

TARTINE AU FATTOUCHE ET À L'AVOCAT

Pour 4 personnes

La tartine à l'avocat est le saint Graal de la tartine. J'aime tout particulièrement cette version qui, en mariant l'avocat à des rondelles de tomates juteuses, s'inspire du *fattouche*, une délicieuse salade libanaise composée de tomates, d'oignon, de persil, de concombre et de sumac et garnie de chips de pita grillées – ici, la tartine remplace la pita. Le zaatar, un condiment moyen-oriental à base de sésame et d'herbes séchées, ainsi que les graines de nigelle, à la saveur rappelant celle de l'oignon, font aussi merveille dans ce plat. Ces trois ingrédients – le zaatar, le sumac et les graines de nigelle – sont vendus dans les épiceries spécialisées en produits arabes ou sur Internet.

FATTOUCHE

½ petit oignon rouge finement émincé
½ cuil. à café de sel casher, plus quelques pincées
2 tomates juteuses, épépinées et finement hachées
1 concombre moyen épluché, épépiné et haché
3 radis finement émincés
½ piment rouge frais (piment oiseau ou fresno), coupé en deux et finement émincé
2 cuil. à soupe de persil plat grossièrement ciselé
1 cuil. à soupe d'huile d'olive vierge extra
le jus d'1 citron
½ cuil. à café de sumac moulu

TARTINE

4 tranches de pain de campagne de 2 cm d'épaisseur
huile d'olive vierge extra, pour le pain
sel casher
1 avocat coupé en deux et dénoyauté
zaatar
graines de nigelle (facultatif)

1. **Préparer le *fattouche* :** saupoudrer l'oignon rouge de sel et réserver (le sel aide à atténuer son goût fort). Dans un saladier, mélanger les tomates, le concombre, les radis, le piment, le persil, l'huile d'olive, le jus de citron, le sumac et ½ cuillerée à café de sel.

2. **Réaliser la tartine :** faire griller les tranches de pain selon les conseils des pages 7 et 8. Les laisser légèrement refroidir avant de les garnir.

3. Écraser 1 quartier d'avocat sur chaque tartine. Incorporer l'oignon salé au *fattouche*, puis en déposer quelques généreuses cuillerées sur les tartines. Ajouter également quelques cuillerées des jus récoltés. Parsemer de zaatar et, éventuellement, de graines de nigelle et servir.

TARTINE COMME UN BANH MI

Pour 4 personnes (il restera de la pâte à tartiner)

Pour moi, l'intérêt du *banh mi*, le célèbre sandwich vietnamien, réside surtout dans sa garniture : les carottes marinées au vinaigre, le daikon amer, la coriandre fraîche et les rondelles de piment jalapeño. Ajoutez du fromage frais et vous obtenez un accompagnement incroyable. Ainsi, la tartine est délicieuse telle quelle, mais rien ne vous empêche d'ajouter les restes qui vous ont servi à fourrer les bagels du dernier brunch dominical ! J'aime ajouter de la truite fumée, des câpres, des oignons et des rondelles de tomate. La sauce de poisson rehausse le goût du plat, mais si vous n'aimez pas, remplacez-la par un peu de jus de cornichons et un trait de jus de citron.

GARNITURE DE LÉGUMES AU VINAIGRE

2 cuil. à soupe de vinaigre de riz
1½ cuil. à soupe de sauce de poisson (ou d'un mélange de jus de cornichons et de jus de citron à parts égales)
⅛ de cuil. à café de sucre en poudre (environ 2 petites pincées)
1 pincée de sel casher (ou gros sel)
2 carottes coupées en lanières fines à l'économe
1 daikon moyen (environ 115 g) épluché et coupé en lanières fines à l'économe
1 piment jalapeño moyen finement émincé dans la largeur (épépiné pour moins de piquant)
230 g de fromage frais à la crème
4 cuil. à soupe de feuilles de coriandre fraîche

TARTINE

4 tranches de baguette de 2 cm d'épaisseur
huile de colza, pour le pain
sel casher (ou gros sel)
du concombre finement émincé (facultatif)
1 tomate coupée en rondelles (facultatif)
de la truite fumée effilochée (facultatif)
de l'oignon rouge finement émincé (facultatif)
des câpres égouttées (facultatif)

1. **Préparer la garniture de légumes au vinaigre :** dans un saladier, fouetter le vinaigre, la sauce de poisson, le sucre et le sel, jusqu'à dissolution du sucre. Ajouter les carottes, le daikon et les rondelles de piment jalapeño et bien mélanger. Couvrir et réserver au moins 1 heure et jusqu'à 2 jours au réfrigérateur.

2. Ôter les légumes de la marinade, en réservant celle-ci et les égoutter sur du papier absorbant. Dans le bol d'un mixeur, placer les légumes et ajouter le fromage et la coriandre. Mixer jusqu'à obtention d'un mélange homogène, mais épais. Ajouter un peu de marinade pour obtenir un goût un peu plus acide ou pour fluidifier la pâte si nécessaire.

3. **Réaliser la tartine :** faire griller les tranches de pain selon les conseils des pages 7 et 8. Les laisser refroidir quelques minutes avant de les garnir. Étaler un peu de garniture sur les tartines et ajouter les ingrédients de votre choix.

TARTINE À LA TOMATE ET AUBERGINE FRITE

Pour 4 personnes

Du pain assaisonné d'huile d'olive et d'ail, puis frotté d'une tomate fraîche : c'est le *pan con tomate*, un plat espagnol peu onéreux puisqu'à l'origine, il permettait de n'utiliser qu'une seule tomate pour plusieurs convives ! Aujourd'hui, le *pan con tomate* est l'une des tapas les plus populaires. Pour rendre la tartine plus rassasiante, je la garnis d'une rondelle d'aubergine frite et d'un peu de basilic frais... presque un hommage à l'aubergine *alla parmigiana* ! Pour une tartine plus riche, ajoutez une tranche de mozzarella fraîche, puis faites fondre le fromage sous le gril.

AUBERGINE FRITE

1 aubergine d'environ 450 g, coupée dans la longueur en tranches de 0,5 cm d'épaisseur
1½ cuil. à café de sel casher
40 g de farine
50 g de farine de maïs
60 g de pecorino romano finement râpé
¼ de cuil. à café de poivre noir fraîchement moulu
15 cl d'huile de pépins de raisin
6 cl d'huile d'olive vierge extra

1. **Préparer l'aubergine frite :** sur une lèchefrite, déposer les tranches d'aubergine. Les saupoudrer d'1 cuillerée à café de sel par face et les laisser dégorger 20 minutes.

2. Dans un plat peu profond, mélanger la farine, la farine de maïs, le pecorino, la ½ cuillerée à café de sel restante et le poivre.

3. Dans une sauteuse, chauffer les huiles d'olive et de pépins de raisin à feu moyen-vif. Enrober 4 tranches d'aubergine du mélange à la farine, puis éponger l'excédent de panure. Les plonger délicatement dans l'huile et les frire 6 à 8 minutes, jusqu'à ce qu'elles soient dorées des deux côtés. Les déposer sur une assiette tapissée de papier absorbant et répéter l'opération avec les tranches restantes.

TARTINE

3 gousses d'ail pelées et écrasées
3 cuil. à soupe d'huile d'olive vierge extra
4 tranches de pain de campagne de 2 cm d'épaisseur
fleur de sel
1 tomate coupée en deux
1 poignée de feuilles de basilic frais ciselées

4. **Réaliser la tartine :** dans un bol allant au four micro-ondes, mettre l'ail et l'huile. Les cuire 30 secondes au micro-ondes à puissance maximale, remuer et recommencer. Sortir du four et réserver pour que l'ail infuse dans l'huile. On peut également mettre l'ail et l'huile dans une petite casserole à feu doux-moyen, puis les cuire 2 à 3 minutes, jusqu'à ce que le mélange libère son arôme. Retirer du feu et laisser refroidir.

5. Arroser les tranches de pain d'huile à l'ail et les saupoudrer de fleur de sel. Les griller au four selon les conseils des pages 7 et 8. Les sortir du four et frotter la face coupée de la tomate sur chaque tartine de pain, en appuyant bien sur le pain, jusqu'à ce qu'il n'en reste plus que la pulpe et la peau – chaque demi-tomate doit servir pour 2 tartines. Déposer une tranche d'aubergine sur chaque tartine, puis parsemer de basilic et de fleur de sel. Servir.

TARTINE À LA COMPOTÉE DE PRUNES, GORGONZOLA ET CONFIT DE CANARD

Pour 4 personnes (il restera environ 60 cl de compotée)

La préparation du confit de canard demande beaucoup de temps ; voilà pourquoi je l'achète tout prêt. Si vous n'en trouvez pas, remplacez-le par des rillettes de canard ou de porc, du pâté ou même du poulet rôti effiloché. La compotée que je vous propose ici ressemble à une confiture à laquelle on aurait ajouté de gros morceaux de fruits frais et des noix. Grâce au cinq-épices, constitué, entre autres, d'anis étoilé et de cardamome, elle vous fera voyager jusqu'en Asie.

COMPOTÉE DE PRUNES

450 g de prunes (de préférence italiennes) dénoyautées et hachées
80 g de cerises séchées
60 g de noix hachées
le jus d'½ citron
165 g de sucre en poudre, plus 1 cuil. à soupe
½ cuil. à café de cinq-épices
1 pincée de sel casher

TARTINE

4 tranches de pain aux fruits frais et secs de 2 cm d'épaisseur
beurre doux ramolli, pour le pain
fleur de sel
115 g de gorgonzola doux
1 cuisse de canard confite, sans la peau, chair effilochée
15 g de jeunes feuilles de roquette

1. **Préparer la compotée :** dans une casserole, mélanger les prunes, les cerises, les noix, le jus de citron et 15 cl d'eau. Porter à ébullition, en remuant de temps à autre. Réduire à feu moyen et laisser mijoter 4 à 5 minutes, en remuant souvent, jusqu'à ce que les prunes compotent. Ajouter le sucre, le cinq-épices et le sel. Réduire à feu doux-moyen et cuire 8 à 10 minutes, jusqu'à obtention d'un mélange épais et luisant – ou jusqu'à ce qu'un doigt passé sur le dos d'une cuillère en bois trempée dedans laisse une trace. Retirer du feu et laisser refroidir, puis verser dans un récipient hermétique et conserver jusqu'à 2 semaines au frais.

2. **Réaliser la tartine** : faire griller les tranches de pain selon les conseils des pages 7 et 8. Étaler le gorgonzola sur chaque tartine, puis napper d'1 ou 2 généreuses cuillerées à soupe de compotée de prunes. Garnir de confit de canard et de roquette, puis servir.

TARTINE À LA SALADE DE POULET POCHÉ ET PÊCHES

Pour 4 personnes

Légère, pleine de couleurs et de saveurs délicates, cette salade de poulet déposée sur une tartine est bien plus élégante que l'habituel poulet-mayonnaise. Le pochage des blancs de poulet garantit une viande incroyablement moelleuse – et bonus : le bouillon pourra servir pour une prochaine recette ! Si vous ne trouvez pas de piments fresno – ou jalapeño rouges –, remplacez-les par un piment jalapeño vert ou, pour garder la même teinte, deux pincées de piment d'Alep moulu.

POUR LA SALADE DE POULET POCHÉ

1 l de bouillon de volaille
3 brins de persil plat
2 cuil. à café de graines de coriandre
1 cuil. à café de graines de fenouil
1 cuil. à café de grains de poivre noir
900 g de blancs de poulet non désossés, avec la peau (soit environ 2 grosses pièces)
2 cuil. à soupe d'huile d'olive vierge extra
1½ cuil. à soupe de mayonnaise
1½ cuil. à café de graines de moutarde de Dijon
1 cuil. à café de sel casher, plus si nécessaire
¼ de cuil. à café de poivre noir fraîchement moulu
¼ de cuil. à café de cumin moulu
¼ de cuil. à café de coriandre moulue
1 grosse pêche avec la peau, finement hachée
1 piment rouge ou vert frais (fresno, piment oiseau thaï ou jalapeño) finement haché (épépiné pour moins de piquant)
12 feuilles de basilic frais finement ciselées

TARTINE

4 tranches de pain de campagne de 2 cm d'épaisseur
huile d'olive vierge extra, pour le pain
sel casher, pour le pain

1. **Préparer la salade de poulet poché :** dans une grande casserole ou une sauteuse, chauffer le bouillon à feu moyen-vif. Ajouter le persil, les graines de coriandre, de fenouil et de poivre et porter à ébullition. Y plonger le poulet. Le liquide doit le couvrir à fleur. Si tel n'est pas le cas, ajouter de l'eau. Réduire à feu doux et pocher le poulet 20 minutes. Le liquide doit être frémissant en surface ; en aucun cas, il ne doit bouillir. Retirer du feu et laisser la viande refroidir dans le bouillon 30 minutes, jusqu'à ce que les deux soient pratiquement à température ambiante. Ôter le poulet du bouillon et jeter la peau. Effilocher la chair et jeter les os. Dans un saladier, mettre la viande et la laisser complètement refroidir.

2. Dans un bol, fouetter l'huile d'olive, la mayonnaise, la moutarde, le sel, le poivre, le cumin et la coriandre moulue. Verser l'assaisonnement sur le poulet et, avec les mains, mélanger délicatement pour que la viande soit bien enrobée. Goûter et saler si nécessaire. Ajouter la pêche, le piment et le basilic et mélanger.

3. **Réaliser la tartine :** faire griller les tranches de pain selon les conseils des pages 7 et 8. Garnir chaque tartine de salade de poulet, puis servir.

TARTINE AU CRABE ET À L'AVOCAT

Pour 4 personnes

Dans certains pays, la tartine à l'avocat (p. 97) est une véritable institution. En voici ici une autre interprétation avec la *guasacaca*. Il s'agit d'une sauce sud-américaine populaire dérivée du guacamole, qui marie l'avocat à la salsa de tomatillos. Des miettes de crabe, un peu de mayonnaise, un trait de citron et une pincée de sel transforment une banale tartine à l'avocat en un plat rapide, parfait pour l'été.

GUASACACA

1 avocat coupé en deux et dénoyauté
le jus d'½ citron vert
4 cuil. à soupe de salsa de tomatillos
¼ de cuil. à café de sel casher, plus si nécessaire

TARTINE

170 g de chair de crabe (de préférence en gros morceaux) décortiquée et égouttée
4 cuil. à soupe de feuilles de coriandre fraîche finement ciselées
1 jeune oignon, parties vert clair et blanche uniquement, finement émincé
2 cuil. à café de mayonnaise
¼ de cuil. à café de sel casher, plus si nécessaire
4 tranches de pain de campagne de 2 cm d'épaisseur
huile d'olive vierge extra, pour le pain

1. **Préparer la *guasacaca* :** dans le bol d'un mixeur, réduire l'avocat, le jus de citron vert, la salsa et le sel en purée. On peut également écraser l'avocat, puis incorporer la salsa, le jus de citron vert et le sel pour obtenir davantage de morceaux. Goûter et saler si nécessaire.

2. **Réaliser la tartine :** dans un saladier, effilocher le crabe avec les doigts. Ajouter la coriandre, l'oignon, la mayonnaise et le sel et mélanger à la fourchette, en veillant à ne pas réduire la chair de crabe en miettes.

3. Faire griller les tranches de pain selon les conseils des pages 7 et 8. Garnir chaque tartine de *guasacaca* et de crabe. Servir.

TARTINE AU STEAK GRILLÉ

Pour 4 personnes

Gorgé de saveurs, l'onglet est un morceau de bœuf peu onéreux. Comme il n'y a qu'un seul onglet par bête, certains bouchers n'en proposent pas. Si vous n'en trouvez pas, remplacez-le par de la bavette ou du flanchet. Le flanchet est souvent plus épais que l'onglet et nécessite parfois une cuisson plus longue, tandis que la bavette cuit plus vite et requiert une découpe de ses bords pour éviter toute rétractation de la viande. Les épinards sont enveloppés d'une feuille d'aluminium, puis cuits directement sur le gril ; la chaleur qui s'en dégage les fait suer juste ce qu'il faut pour que, associés au steak grillé, ils composent une garniture pour tartine irrésistible.

STEAK ET ÉPINARDS

450 g d'onglet dégraissé
3 gousses d'ail finement hachées
1 cuil. à soupe de sel casher (ou gros sel), plus 1 cuil. à café
2 cuil. à café de poivre noir fraîchement moulu
2 cuil. à soupe d'huile de pépins de raisin
250 g de pousses d'épinards grossièrement hachées
15 g de beurre doux coupé en petits morceaux
1 cuil. à soupe de ciboulette finement ciselée
2 cuil. à soupe de crème fraîche épaisse

TARTINE

4 tranches de pain de campagne de 2 cm d'épaisseur
3 cuil. à soupe d'huile d'olive vierge extra
fleur de sel

1. **Préparer le steak :** frotter le steak d'ail, d'1 cuillerée à soupe de sel et de poivre. Placer 1 heure ou toute une nuit au réfrigérateur. Sortir le steak du réfrigérateur 1 heure avant cuisson.

2. **Préparer les épinards :** préchauffer un côté d'un barbecue à gaz à feu moyen-vif et l'autre côté à feu moyen. On peut également utiliser un barbecue à charbon, en veillant à ce que le tas de braises soit plus élevé d'un côté que de l'autre ; on doit pouvoir positionner la main à 13 cm du foyer des braises chauffées à feu moyen-vif pendant 3 à 4 secondes et 4 à 5 secondes au-dessus de celles chauffées à feu moyen. Sur un plan de travail, poser une grande feuille d'aluminium et placer les épinards au centre. Parsemer de beurre et de ciboulette, ajouter la crème et le sel restant. Replier le côté droit de la feuille pour que leurs deux extrémités se superposent, puis souder tout le pourtour.

3. À l'aide d'une pince, tremper un morceau de papier absorbant plié dans l'huile, puis l'utiliser pour graisser une grille. Déposer le steak sur la grille, au-dessus de la partie chauffée à feu vif, et les épinards, sur la partie chauffée à feu moyen. Griller le steak 2 à 3 minutes par face, jusqu'à ce qu'il soit zébré des deux côtés. Le poser au-dessus de la partie la moins chaude du gril et cuire encore 2 à 3 minutes pour une cuisson à point – il doit répondre à une légère pression exercée sur la partie la plus épaisse. Réserver la viande et les épinards.

4. **Réaliser la tartine :** arroser les tranches de pain d'huile d'olive et les saupoudrer de sel. Les faire griller au barbecue en suivant les conseils de la page 8. Ouvrir la papillote et répartir les épinards et le jus de cuisson sur les tartines. Sur une planche à découper, trancher le steak en diagonale, à contresens des fibres, en conservant le jus. Déposer la viande sur les épinards. Saupoudrer de fleur de sel et arroser de jus de viande, puis servir.

TARTINE À LA PÂTE CHOCOLAT-NOISETTES ET GUIMAUVE

Pour 4 personnes (il vous restera un peu de pâte à tartiner)

Un été sans guimauve fondue n'est pas un été ! Si vous n'appréciez pas le style scout et feu de bois, cette recette vous permettra tout de même de savourer le bonheur d'une de ces friandises trempées dans du chocolat fondu, installé bien tranquillement sur votre canapé. Essayez cette pâte à tartiner chocolat-noisette maison – elle est succulente, même sans guimauve ! N'hésitez pas à griller fort le pain, histoire de rappeler la magie du feu de bois... Une fois les tartines réalisées, il vous restera environ 35 cl de pâte à tartiner. Je ne doute pas que vous en fassiez bon usage...

PÂTE À TARTINER CHOCOLAT-NOISETTE

175 g de noisettes (de préférence sans la peau)
14 g de sucre en poudre
2 cuil. à soupe (40 g) de miel
2 cuil. à soupe (15 g) de sucre glace
4 cl d'huile de colza
5 g de fleur de sel
225 g de chocolat noir à plus de 60 % de cacao, finement haché, puis fondu

TARTINE

4 tranches de pain de campagne de 2 cm d'épaisseur
45 g de beurre doux ramolli
fleur de sel
16 cubes de guimauve coupés en quatre

1. **Préparer la pâte à tartiner :** préchauffer le four à 180 °C (th. 6). Sur une lèchefrite, déposer les noisettes et les griller au four 12 à 15 minutes, en secouant la plaque à mi-cuisson, jusqu'à ce qu'elles soient bien dorées. Les transférer sur une assiette et laisser refroidir. Si les noisettes ont encore leur peau, les envelopper dans un torchon, les laisser reposer 1 minute, puis les frotter à travers le tissu. Quand elles sont froides, les mettre dans le bol d'un mixeur et mixer 1 à 2 minutes, en raclant les parois si nécessaire, jusqu'à obtention d'une pâte homogène.

2. Ajouter les sucres, le miel, l'huile et le sel et mélanger délicatement. Ajouter le chocolat fondu, mixer de nouveau, puis verser la pâte dans un récipient hermétique. Laisser épaissir 3 heures ou toute une nuit à température ambiante. La pâte peut être conservée au réfrigérateur pendant 2 semaines maximum ; il suffit de la laisser reposer à température ambiante au moins 30 minutes avant utilisation pour qu'elle reprenne une consistance plus fluide. Néanmoins, après réfrigération, sa texture sera moins lisse.

3. **Réaliser la tartine :** beurrer les tranches de pain et les saupoudrer de sel. Les faire griller au four selon les conseils de la page 7. Les sortir du four et y étaler un peu de pâte à tartiner. Parsemer d'une poignée de morceaux de guimauve. Glisser la grille dans le tiers supérieur du four, puis remettre la lèchefrite sous le gril. Faire griller les tartines 15 à 30 secondes, jusqu'à ce que la guimauve soit bien dorée – la surveiller, car l'intensité du gril varie d'un modèle de four à l'autre. Laisser refroidir 1 à 2 minutes avant de servir.

TARTINE À LA GLACE COCO ET AU SUCRE CARAMÉLISÉ

Pour 4 personnes

Je vous présente votre nouvelle obsession culinaire : une tartine beurrée, imbibée de sirop de citronnelle, puis trempée dans le sucre et caramélisée au beurre jusqu'à ce que le sucre laque le pain d'un vernis brillant. Le tout est ensuite garni de glace coco et de noix de coco grillée. Le résultat ? Une tartine à mi-chemin entre le pain perdu, la crème brûlée et la crème glacée.

SIROP DE CITRONNELLE

2 tiges de citronnelle fraîche
100 g de sucre en poudre

TARTINE

50 g de copeaux de noix de coco déshydratés non sucrés ou de noix de coco râpée
3 cuil. à soupe de sucre en poudre
4 tranches de pain de campagne ou de brioche de 2 cm d'épaisseur
45 g de beurre doux ramolli
environ 50 cl de glace coco

1. **Préparer le sirop de citronnelle :** sur une planche à découper, poser la citronnelle et couper les extrémités. Retirer les couches externes, épaisses et dures, pour ne garder que le cœur tendre. Avec le plat d'une lame de couteau, écraser la citronnelle, puis couper le cœur en morceaux de 7,5 cm de long. La plante doit libérer son arôme.

2. Dans une petite casserole, mélanger la citronnelle écrasée et le sucre avec 15 cl d'eau. Porter à ébullition à feu moyen, en remuant de temps à autre, jusqu'à dissolution du sucre. Laisser mijoter 4 minutes, jusqu'à ce que la citronnelle infuse dans le sirop. Retirer du feu et laisser refroidir. Jeter la citronnelle. Ce sirop peut être conservé plusieurs semaines au réfrigérateur.

3. **Réaliser la tartine :** préchauffer le four à 180 °C (th. 6). Dans une lèchefrite, verser la noix de coco et enfourner 6 à 8 minutes, en remuant de temps à autre, jusqu'à ce qu'elle soit dorée sur les bords. La verser sur une assiette et réserver.

4. Beurrer les tranches de pain. Dans une sauteuse antiadhésive, les frire selon les conseils de la page 8. Déposer les tartines sur une assiette, mais laisser la sauteuse sur le feu.

5. Dans un plat large et peu profond, verser le sirop de citronnelle. Sur une assiette, verser le sucre. Tremper 1 tartine dans le sirop et la laisser s'imbiber quelques secondes. La déposer ensuite face imbibée de sirop dans le sucre et appuyer dessus pour qu'elle soit uniformément enrobée. La remettre dans la sauteuse, face sucrée contre le métal. Faire de même avec les tartines restantes. Les cuire à feu moyen 2 minutes, jusqu'à ce que la face sucrée soit dorée et caramélisée.

6. Répartir les tartines sur 4 assiettes, face caramélisée vers le haut. Les garnir d'1 ou 2 cuillerées de crème glacée, arroser d'un filet de sirop et parsemer d'un peu de noix de coco grillée. Servir.

ANDREW FEINBERG

TARTINE À L'AUBERGINE, POIVRONS ET CÂPRES

Brooklyn, New York | Pour 4 personnes

Propriétaire et chef du *Franny*, à Brooklyn, Andrew Feinberg est certes réputé pour ses pizzas, mais plus encore pour avoir répandu la mode de la salade de chou kale cru dans le monde. Ici, inspiré par un plat qu'il a dégusté à Naples, il marie des poivrons sautés à une purée d'aubergines comme on en mange dans les Pouilles.

AUBERGINE, POIVRONS ET CÂPRES

1 grosse aubergine d'environ 570 g, épluchée et coupée en rondelles biseautées de 2 cm
1½ cuil. à café de sel casher, plus un peu si nécessaire
25 cl d'huile d'olive vierge extra, plus un peu pour la poêle
5 gousses d'ail grossièrement hachées
2 filets d'anchois
1 cuil. à soupe de feuilles d'origan ou de marjolaine ciselées
5 cuil. à café de vinaigre de vin vieux (ou moitié vinaigre balsamique blanc et moitié vinaigre de vin rouge)
poivre noir fraîchement moulu
2 poivrons rouges coupés en dés de 2, 5 cm
4 cuil. à soupe de câpres en saumure rincées

TARTINE

4 tranches de pain de campagne de 2 cm d'épaisseur
huile d'olive vierge extra pour le pain, plus un peu pour servir

1. **Préparer l'aubergine :** préchauffer le four à 200 °C (th. 6-7). Graisser une lèchefrite.

2. Enrober les rondelles d'aubergine d'½ cuillerée à café de sel et de 3 cuillerées à soupe d'huile. Les disposer sur la lèchefrite et les faire rôtir 15 à 20 minutes, jusqu'à ce que le dessous soit doré. Les retourner et cuire encore 15 minutes, jusqu'à ce qu'elles soient tendres. Réserver sur une assiette.

3. Dans une poêle, chauffer la moitié de l'huile d'olive et cuire l'ail et les anchois à feu moyen 2 à 3 minutes, jusqu'à ce que l'huile commence à bouillir. Retirer du feu, incorporer l'origan et 1 cuillerée à café de vinaigre. Réserver.

4. Réduire l'aubergine en purée fine au mixeur. Ajouter l'huile à l'ail et aux anchois refroidie et ½ cuillerée à café de sel, puis mixer jusqu'à obtention d'un mélange lisse. Poivrer.

5. **Préparer les poivrons et les câpres :** dans une sauteuse, chauffer les 4 cuillerées à soupe d'huile restantes à feu vif. Ajouter les poivrons et cuire 3 à 4 minutes, jusqu'à ce qu'ils commencent à brunir. Réduire à feu moyen-vif et ajouter la ½ cuillerée à café de sel restante. Cuire encore 10 minutes, en remuant de temps à autre, jusqu'à ce que les poivrons cloquent. Ajouter les câpres et cuire 4 à 5 minutes, jusqu'à ce qu'elles soient croquantes. Retirer du feu et incorporer les 4 cuillerées à soupe de vinaigre restantes. Poivrer.

6. **Réaliser la tartine :** faire griller les tranches de pain selon les conseils des pages 7 et 8. Étaler la purée d'aubergine en couche épaisse sur les tartines. Les garnir du mélange aux poivrons et aux câpres et arroser d'un filet d'huile d'olive. Servir.

TARTINE AU THON, SALSA D'OLIVE

Sydney (Australie) | Pour 4 personnes

Je suis toujours curieuse de savoir ce que les chefs se préparent à manger chez eux quand ils ont un petit creux. Un bol de céréales ? Des œufs brouillés ? Un plat de *ramen* bien revigorant ? On doit cette tartine à Bill Granger, chef et propriétaire d'une douzaine de restaurants en Australie, au Japon, au Royaume-Uni, en Corée du Sud et à Hawaï. Il adore la déguster tout juste sortie du four, quand le fromage bouillonne encore ; d'après lui, c'est bien meilleur et plus rapide ! que de se faire livrer une pizza.

SALSA D'OLIVE ET THON

1 petit bouquet de persil plat ciselé
3 jeunes oignons, parties vert clair et blanche uniquement, finement émincés
35 g d'olives vertes (de préférence de Lucques) dénoyautées, grossièrement hachées
1 cuil. à soupe d'huile d'olive vierge extra
le jus d'½ citron
sel casher (ou gros sel) (facultatif)
225 g de thon à l'huile, égoutté et émietté
4 cœurs d'artichauts marinés, égouttés et finement émincés
environ 35 g de mozzarella émiettée (de préférence, de bufflonne)
25 g de mozzarella non fraîche râpée
1 cuil. à soupe de poivre noir fraîchement moulu

TARTINE

4 tranches de pain au levain de 2 cm d'épaisseur
1 pincée de flocons de piment rouge

1. **Préparer la salsa d'olive et le thon :** dans un bol, mélanger le persil, les jeunes oignons, les olives, l'huile d'olive et le jus de citron. Goûter et saler si nécessaire. Dans un saladier, mélanger le thon, les artichauts, les mozzarellas et le poivre noir, jusqu'à obtention d'une préparation homogène.

2. **Réaliser la tartine :** préchauffer le gril du four à feu vif. Sur une lèchefrite tapissée d'une feuille d'aluminium, disposer le pain, enfourner et le faire griller 1 à 2 minutes par face, jusqu'à ce qu'il soit bien doré. Garnir chaque tranche de pain du mélange au thon et parsemer de flocons de piment rouge. Remettre les tartines sous le gril 2 à 3 minutes, jusqu'à ce que le fromage commence à bouillonner. Napper de salsa d'olive et servir chaud.

Index

Remerciements de l'auteur

Un toast à tous ceux qui ont participé à *Tartines* ! Aux chefs qui ont participé aux recettes de ce livre, vous êtes tous des rock stars de la cuisine : Hugh Acheson, Andrew Feinberg, Bill Granger, Fergus Henderson, Dan Kluger, Sarit Packer, Deb Perelman et Suvir Saran. À ma joyeuse bande de testeurs de recettes, merci pour votre courage : Jessica Battilana, Mike et Sandi Campo, Alexis DeBoschnek, Penny De Los Santos, Kristin Donnelly, Lucille Fiore, Gabriella Gershenson, Sara Kate Gillingham, JJ Goode, Posie Harwood, Scott Hocker, Jonathan Kauffman, Debbie Manka, Denise Mickelson, Karen Palmer, Mike Pelzel, Adam Ried, Michelle Sayre (et son équipe), Joanne Smart, Stacey Watson, et Izabela Wojcik.

À Evan Sung, photographe extraordinaire, à la styliste culinaire Suzanne Lenzer et à la styliste Maya Rossi : merci d'avoir rendu ces toasts si sexy.

À mes agents, David Black et Sarah Smith : votre ténacité et votre dévouement sont sans limites, tout comme votre sagesse.

À l'équipe de Phaidon : je suis très honorée de voir *Tartines* figurer dans votre catalogue. *Grazie* à Emily Takoudes, responsable du département Cuisine ; Olga Massov, chargée d'édition ; Emilia Terragni, éditrice ; Julia Hasting, directrice de la création ; Stefanie Weigler of Triboro, styliste ; et à tout le personnel de Phaidon.

À ceux grâce à qui je donne le meilleur de moi-même : Matt Grady, Billie Dionne, Chuck et Char Sayre (et leur famille) ; les Israëliens (Miriam, Iris, Tali, Orit et Shai), Adeena Sussman, Ratha Chaupoly, Jill Vegas, Patrick McKee, Melissa d'Arabian et Matt Weingarten.

À ma maman : merci d'avoir été la pire cuisinière du monde et d'avoir brûlé tous les toasts que tu as faits ; j'ai appris à cuisiner pour survivre ! À mon papa : je t'aime et tu me manques chaque seconde. Je ne sais pas comment te dire merci, mais j'espère que tu sais déjà à quel point je te suis reconnaissante. *L'chaim*. À Rhys et Julian, mes garçons : vous êtes toute ma vie, ma plus grande joie et pour toujours, ma plus grande réussite.

PHAIDON
55, RUE TRAVERSIÈRE
75012 PARIS

WWW.PHAIDON.COM

PREMIÈRE ÉDITION FRANÇAISE 2015

ISBN 978 0 7148 7069 4
DÉPÔT LÉGAL : JUILLET 2015

TRADUCTION DE L'ANGLAIS PAR AMÉLINE NÉREAUD
RÉALISATION DE L'ÉDITION FRANÇAISE
PAR CÉLADON ÉDITIONS
CONCEPTION GRAPHIQUE
DE STEFANIE WEIGLER / TRIBORO

IMPRIMÉ EN CHINE